Soyez raisonnable voyez grand

Comment devenir un génie en un temps record!

ERNIE J. ZELINSKI

Soyez raisonnable
voyez grand

Comment devenir un génie
en un temps record!

Traduit de l'anglais par Jean-Louis Morgan

Stanké
QUEBECOR MEDIA

Catalogage avant publication
de la Bibliothèque nationale du Canada

Zelinski, Ernie J. (Ernie John), 1949-

Soyez raisonnable, voyez grand: comment devenir un génie
en un temps record!

Traduction de: The joy of thinking big.

ISBN 2-7604-0919-8

1. Pensée créatrice. 2. Créativité. 3. Succès. I. Titre.

BF408.Z3414 2004   153.3'5   C2004-940019-3

Maquette de couverture: Danielle Péret
Illustration de couverture: Marc Lalumière
Illustrations originales: Vern Busby
Infographie et mise en page: Luc Jacques

Titre original: *The Joy of Thinking Big*
© 1998 by Ernie Zelinski
© 2004, Les Éditions internationales Alain Stanké pour la traduction française
Dépôt légal: Bibliothèque nationale du Québec, 1er trimestre 2004

ISBN 2-7604-0919-8

Les Éditions internationales   Stanké international, Paris
Alain Stanké   Tél.: 01.40.26.33.60
7, chemin Bates   Téléc.: 01.40.26.33.60
Outremont (Québec) H2V 4V7
Tél.: (514) 396-5151
Téléc.: (514) 396-0440
editions@stanke.com

Diffusion au Canada: Québec-Livres
Diffusion en Europe: Interforum
Printed in USA

Je dédie ce livre aux hommes et aux femmes qui, de tout temps, ont fait preuve d'esprit créatif, ont pris et prennent encore le risque de ne pas être comme tout le monde, refusent le statu quo et chamboulent quelques idées reçues. C'est en agissant ainsi que ces personnes apportent du sang neuf au monde qui nous entoure.

TABLE DES MATIÈRES

PRÉFACE

Le paradoxe de la créativité

Il existe une ressource essentielle pour survivre dans le monde des affaires moderne, une ressource qui nous permet d'atteindre la réussite personnelle mais que la majorité d'entre nous n'utilise pas. Cette ressource est plus puissante et plus abondante que les ressources financières, les qualités physiques, le soutien de nos amis et la loyauté de nos clients. Cette ressource est notre propre créativité : elle est bon marché, renouvelable, et on peut la développer facilement. Utilisée de manière judicieuse, notre créativité peut devenir un atout très précieux pour atteindre la réussite.

> Prenez garde, lorsque Dieu décide d'envoyer un penseur sur cette planète.
> – *Ralph Waldo Emerson*

La créativité est une ressource que nous possédons tous, mais que peu d'entre nous utilisent à bon escient. Il y a plusieurs raisons à cela : certains d'entre nous sont totalement inconscients de ce pouvoir ; d'autres l'utilisent, mais pas aussi souvent qu'ils le devraient ; d'autres encore craignent d'y faire appel. Seule une petite majorité d'entre nous réussit à profiter des avantages qu'offre ce talent tout à fait personnel.

Ce livre vise à vous faire découvrir comment améliorer votre pouvoir créatif. Comment puis-je savoir que vous devez améliorer celui-ci ? En fait, je ne peux pas le deviner. J'ai cependant fait certaines découvertes très intéressantes au cours des dernières années, alors que je donnais des cours sur la créativité. Nous nous trouvons face à un paradoxe tout ce qu'il y a de plus étrange et de plus évident : les personnes et les organisations dont le pouvoir créatif a le plus besoin d'être amélioré sont celles qui éprouvent la plus grande réticence à participer à une activité reliée à cet apprentissage, quelle qu'elle soit.

C'est d'ailleurs tout le contraire qui se produit dans le cas des personnes à l'esprit créatif et des sociétés qui font preuve d'idées novatrices. Ce sont justement elles qui sont toujours à la recherche de moyens, nouveaux et moins nouveaux, de stimuler leur créativité. Grant Lovig et les employés de son entreprise, la *Company's Coming Publishing*, sont un excellent exemple de ce que je viens de dire. Ils ont aidé la mère de Grant, Joan Paré, à mettre sur le marché ses livres de recettes grâce à leur maison d'édition et à en vendre plus de dix millions sur le marché canadien, où l'on considère qu'un livre qui se vend à cinq mille exemplaires est un best-seller. Le succès qu'ils ont remporté est attribuable aux innovations mises de l'avant pour commercialiser ces livres, et le personnel de cet éditeur est le dernier que je connais qui ait besoin de leçons de créativité. Cependant, Grant et son équipe ont manifesté un très grand intérêt lors d'un séminaire que j'ai spécialement organisé pour eux. Les entreprises et les particuliers doivent apprendre à être plus innovateurs ; il leur serait très profitable d'améliorer leur pensée créatrice. Il y a pourtant une attrape : étant donné qu'ils ne comprennent pas les bénéfices à tirer de la créativité, ils ne prendront jamais les mesures nécessaires pour apprendre à être créatifs. Il est certain qu'il leur est difficile de comprendre le bien-fondé de la créativité avant qu'ils aient commencé à l'étudier.

Mais pourquoi les individus les plus créatifs passent-ils autant de temps à s'améliorer ? L'amélioration de la créativité fait partie des activités qui sont utiles à notre développement personnel. Ce dernier n'est pas un but en soi : c'est un cheminement que nous devons entreprendre. Les personnes qui possèdent un esprit créatif doivent, elles aussi, travailler leur créativité et se souvenir de ce qui peut rendre les personnes plus créatives et plus prospères. Et celles qui réussissent sont celles qui prennent part à des activités d'apprentissage intéressantes qui les font progresser, chose que ne font pas les personnes qui ne réussissent pas. Les premières sont des personnes actives ; elles recherchent continuellement à s'améliorer. Les personnes qui ne réussissent pas autant sont souvent amorphes; il est possible qu'elles se fixent des objectifs à atteindre, mais elles ne prennent pas les moyens nécessaires pour y arriver. Il leur est donc impossible d'arriver à quoi que ce soit.

> Rien n'est plus dangereux qu'une pensée, tout particulièrement si cette pensée est unique.
>
> – *Émile Chartier*

Le chemin de l'apprentissage nous conduit vers de nouveaux endroits intéressants. Mon souhait le plus cher serait que chaque personne qui lit un de mes livres ou qui participe à un de mes séminaires découvre une voie digne d'intérêt comme cela m'est arrivé lorsque je me suis mis à étudier et à enseigner la créativité. Bonne route!

INTRODUCTION
À LA CRÉATIVITÉ
ET À LA FORCE INNOVATRICE

Quel intérêt pouvons-nous trouver à exercer notre pouvoir créatif?

J'espère que ce livre constituera pour vous un premier pas vers une nouvelle façon de vivre, plutôt qu'un recueil de nouvelles techniques à ajouter à celles que vous utilisez déjà. Si vous décidez d'appliquer la créativité à votre travail et à vos loisirs, votre vie changera de façon draconienne, peu importe votre âge, votre sexe, votre statut conjugal ou votre emploi.

Lors des séminaires que je présente aux associations profession-nelles, je répète souvent: «Un homme d'affaires qui possède un esprit créatif est un entrepreneur et un conférencier créatif un orateur; un soudeur créatif peut être un sculpteur, un ingénieur un inventeur, tandis qu'un comptable à l'esprit créatif est... un arnaqueur!» Je blague, bien sûr, et ne voudrais surtout pas insulter les excellents amis que je compte parmi les gens de cette profession. Les comptables qui font preuve de créativité ne sont pas plus magouilleurs que les autres. Dans leur travail, ils doivent obéir à des règles très rigides, mais cela leur laisse quand même le champ ouvert pour demeurer créatifs dans bien des aspects de leur travail quotidien.

> Chaque personne mani-feste un trait de génie au moins une fois par an. Mais le vrai génie a des idées géniales de manière plus fréquente.
> – G.C. Lichtenberg

Ce principe s'applique également à vous. Que vous soyez infir-mière, enseignant, concierge, employé de bureau, maîtresse de maison, chef d'entreprise, conducteur de poids lourd ou barman, vous trouverez toujours des moyens de vous montrer plus créatif au travail. Remarquez que si vous travaillez dans un domaine comme la publicité, vous vous leurrez si vous pensez que toutes les personnes qui travaillent avec vous font preuve de créativité de façon naturelle et qu'elles ne profiteraient pas de séminaires sur le sujet. Pendant des séminaires adressés aux publicitaires, j'ai souvent reçu des commentaires sur le manque de créativité dont certains d'entre eux font preuve. De plus, le *Toronto Star* a récemment publié un article portant sur le manque de créativité de certaines gens de la «fonction pubique» (ou «pubeuse», comme on dit à la blague dans le milieu). La créativité est également profitable pendant les périodes de jeu. Il est bien plus important d'être créatif dans ses moments de loisir que de posséder beaucoup d'argent. Je dois vous prévenir d'une chose: si vous n'avez pas réussi à développer votre créativité d'ici votre retraite, vous découvrirez alors que cette vie de loisir qui s'offre à vous est la plus grande escroquerie que vous ayez expérimentée depuis que quelqu'un a essayé de vous vendre le pont de Québec pour en faire de la ferraille ou encore d'immondes marigots en Floride.

Si vous ne pensez pas que vous devez vous montrer créatif pour réussir dans notre monde actuel, eh bien, réfléchissez, réfléchissez et réfléchissez encore et encore. (Je ne fais que vous préparer mentalement à ce que vous allez voir plus loin dans ce livre.) Les personnes qui réussiront vraiment pendant ce nouveau millénaire seront celles qui démontreront le plus de créativité, posséderont des idées souples et pourront s'adapter rapidement aux changements.

Les chefs en place au sein des gouvernements et dans le monde des affaires recherchent de plus en plus des employés doués d'un grand pouvoir créatif, pour permettre à leur organisation de survivre au sein d'une économie planétaire et aux changements rapides auxquels notre monde actuel doit faire face. Les établissements d'enseignement ressentent de plus en plus le besoin d'enseigner la créativité. On retrouve l'enseignement de la créativité dans des programmes à partir du jardin d'enfants jusqu'à l'université. Les départements de commerce de certaines universités américaines, comme la Graduate School of Business de l'Université Stanford, dispensent des cours dans le but de favoriser l'épanouissement de la créativité personnelle.

La créativité est ce qui rend une organisation compétitive dans notre monde en mouvance continuelle. Voilà précisément le talent dont on a besoin pour arriver à développer une certaine partie du marché. C'est la faculté de transformer une crise en un coup de chance. C'est être perspicace, afin de pouvoir trouver un meilleur moyen de produire mieux et à un moindre coût un produit qui existe déjà. C'est une innovation qui aide une entreprise à prendre de l'avance, pendant que les autres perdent du terrain.

– C'est quoi un « CURT » ?
– C'est un TRUC, épelé à l'envers

Les entreprises du futur immédiat qui remporteront la palme du succès seront celles qui se montreront les plus innovatrices. La créativité est la première caractéristique d'un esprit innovateur. Les entreprises ne peuvent être innovatrices que si elles ont des employés possédant un esprit créatif. Si vous voulez réussir en tant qu'employé ou patron, vous devrez être une de ces personnes.

Exercice I.1 – La créativité et vous

1. Donnez une brève définition de ce qu'est la créativité.

2. Comment votre carrière peut-elle bénéficier de la créativité ?

3. Comment pouvez-vous bénéficier de la créativité dans votre vie personnelle ?

4. Quand avez-vous fait preuve de créativité pour la dernière fois ? Dans quelles circonstances ?

   • Aujourd'hui.

   • Hier.

   • La semaine dernière.

   • Le mois dernier ou avant cela.

5. Où votre créativité trouve-t-elle son inspiration ?

6. Quel genre d'environnement vous faut-il pour vous montrer plus créatif ?

7. Quels sont les principes que vous considérez comme étant les plus importants pour vous aider à devenir plus créatif ?

La créativité, c'est avoir le beurre et l'argent du beurre

Qu'est donc exactement la créativité? Lorsque l'on pose cette question, on obtient, en général, des définitions intéressantes. Voici quelques réponses typiques que j'ai reçues de participants à mes séminaires :

- La créativité, c'est montrer qu'on est différent des autres.

- La créativité, c'est la Joconde.

- La créativité, c'est penser de façon différente.

- La créativité, c'est d'être génial.

- La créativité, c'est être au chômage et en être heureux.

- La créativité, c'est avoir le beurre et l'argent du beurre.

- La créativité, c'est le désir d'apprendre.

- La créativité, c'est la faculté de résoudre des problèmes.

- La créativité, c'est quelque chose dont les enfants font preuve.

- La créativité, c'est jouer un tour à un ami.

- La créativité, c'est ne pas être raisonnable et être un peu fou.

- La créativité, c'est la faculté de profiter de tout ce que la vie nous offre.

- La créativité, c'est pouvoir rêvasser quand on est au travail sans se faire prendre.

- La créativité, c'est la faculté de produire un nombre infini de solutions aux problèmes qui se présentent.

Ces définitions ne sont qu'un échantillonnage de toutes les définitions qui sont possibles pour la créativité. Toutes représentent une essence de ce processus. La définition qui dit que «la créativité, c'est être génial» est tout à fait correcte, étant donné que nous manifestons tous des traits de génie à un moment ou à un autre. La créativité s'exprime de façon différente pour chacun. La créativité est une expérience, et toutes nos expériences ont quelque chose de différent. Le nombre infini de définitions possibles reflète bien les nombreuses facettes de la créativité.

Voici ma propre définition de cette qualité : « La créativité est la joie de ne pas tout connaître. » Cette joie fait référence à la prise de conscience (à laquelle nous recourons que très rarement, voire jamais) selon laquelle nous possédons toutes les solutions à nos problèmes ; de plus, nous portons en nous la capacité de créer toujours plus de solutions pour résoudre ces derniers. Être créatif, c'est avoir la capacité de voir ou d'imaginer ce que l'on peut tirer des problèmes que la vie nous présente. La créativité, c'est envisager toutes les options qui nous sont offertes. Ce livre a pour but de faire croître votre capacité de créer des occasions ou des choix qui ne pourraient voir le jour autrement.

Si nous voulons *vraiment* définir ce qu'est la créativité, nous pourrions dire qu'elle est la faculté de penser ou de faire quelque chose de nouveau. Cette faculté n'a rien à voir avec l'hérédité ou avec un niveau d'instruction très poussé.

On peut apprendre à être créatif. Il n'y a rien de magique dans le fait de voir un peu plus loin ou de trouver de nouvelles idées ou de nouvelles solutions. La créativité est un talent que chacun peut développer. C'est un talent de raisonnement qui n'est pas très difficile à maîtriser. Peu importe la maîtrise que nous possédons de cette faculté, il est toujours possible de l'améliorer. Pour être créatif, il faut être conscient de quelques principes de base et ensuite les mettre en pratique dans notre vie. Les communautés, le monde des affaires et les particuliers ont beaucoup à gagner à mettre en pratique la créativité.

L'objectif final de tout cela est de vous permettre de découvrir le génie qui sommeille en vous. Et c'est alors que vous pourrez avoir le beurre et l'argent du beurre. Comment ? Il ne vous reste qu'à aller chercher deux livres de beurre.

Dix-sept principes de créativité
(il en existe davantage)

Voici dix-sept principes qui vous aideront à être créatif et que je considère comme indispensables à la manifestation de cette qualité, que ce soit au travail ou dans vos loisirs. Je ne proclame pas qu'il s'agit là des seuls principes que vous devrez mettre en pratique pour augmenter votre créativité. Il en existe d'autres, tout comme il existe d'autres techniques. Le but recherché est d'améliorer votre capacité de voir plus loin et de dégager le plus d'options possible en recourant à un maximum de techniques.

Dix-sept principes pour développer votre créativité

- Décidez d'avoir un esprit créatif.

- Recherchez le plus de solutions possible.

- Mettez toutes vos idées par écrit.

- Analysez soigneusement vos idées.

- Définissez vos objectifs.

- Voyez vos problèmes comme étant de bonnes occasions de vous surpasser.

- Regardez ce qui est évident.

- Prenez des risques.

- Osez être différent des autres.

La créativité est l'arrêt subit de la stupidité.
– Dr E. Land,
inventeur du Polaroid

- Ne soyez pas raisonnable.

- Amusez-vous et soyez un peu fou.

- Soyez spontané.

- Vivez au présent.

- Prenez l'habitude d'avoir des opinions divergentes.

- Défiez les règlements et ce qui est généralement admis.

- Mûrissez vos décisions.

- Soyez tenace.

Ne perdez pas le problème de vue

Vous améliorerez à la fois votre vie professionnelle et votre vie privée en utilisant les principes de la créativité pour résoudre vos problèmes, mais vous devrez en tout premier lieu reconnaître ces derniers.

Peut-être croyez-vous que vous n'êtes pas heureux pour la raison que vous n'avez actuellement personne dans votre vie affective, alors que votre véritable problème, c'est la mauvaise opinion que vous avez de vous-même. Si vous cherchez le plus grand nombre de solutions pour rencontrer l'âme sœur, il se pourrait fort bien que vous les découvriez... sans devenir plus heureux pour autant ! En effet, vous n'aurez pas réglé ce qui est à l'origine de vos ennuis, c'est-à-dire la piètre opinion que vous avez de vous-même. Si vous arrivez à définir correctement le hic (la raison précédemment évoquée, par exemple), la solution que vous trouverez alors se révélera beaucoup plus efficace pour résoudre votre dilemme.

> *Un esprit peu créatif peut trouver de mauvaises réponses ; toutefois, pour trouver les mauvaises questions, nous avons besoin d'un esprit vraiment créatif.*
>
> *– Anthony Jay*

Il est crucial de bien cerner le problème. Voici un exemple. Cela s'est produit lors d'une conférence que je donnais à de jeunes adultes engagés dans la réussite de leurs semblables à l'hôtel Banff Springs. J'étais fin prêt à présenter mon allocution. Le technicien en sonorisation de l'hôtel ne me laissait pas commencer, à cause d'un problème d'écho dans la sonorisation. Il m'a demandé de fermer le micro sans fil qui était attaché à mes vêtements par un clip. Je me suis exécuté. L'écho aigu a continué. Il m'a alors demandé de débrancher la source d'alimentation, ce que j'ai également fait. Mon discours avait déjà quinze minutes de retard et le technicien était en train de devenir fou à tenter de découvrir la cause de l'écho. Je fus alors surpris de constater que le fait d'avoir débranché la source d'alimentation et fermé le micro n'avait apporté aucune amélioration.

Je me suis mis à réfléchir. Avions-nous réussi à cerner correctement la cause de ces ennuis ? J'ai marché jusqu'au fond de l'auditorium, et le problème m'a comme sauté en plein visage : quatre petits malins étaient en train de frotter le rebord de leur verre d'eau avec le bout de leurs doigts pour le faire « chanter ».

> *Ce n'est pas qu'ils ne voient pas la solution. C'est tout simplement qu'ils ne voient pas correctement quel est le problème.*
>
> *– G.K.Chesterton*

Cela émettait un son aigu tout à fait semblable à celui de l'écho d'une sono mal réglée. Nous n'avions pas cerné convenablement la source du problème et ne pouvions donc pas le résoudre. Nous serions probablement encore en train de chercher la cause de cette perturbation si nous n'avions pas finalement réussi à en découvrir la source.

Les quatre étapes de la créativité

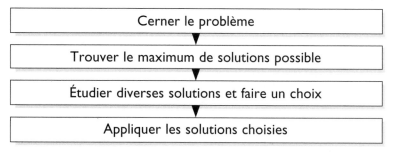

Cerner le problème

Trouver le maximum de solutions possible

Étudier diverses solutions et faire un choix

Appliquer les solutions choisies

Voici un autre exemple qui illustre bien comment il m'est déjà arrivé de ne pas cerner correctement un problème. Cela aurait pu me coûter beaucoup d'argent et de temps et ne générer que très peu de retombées positives, ou même rien du tout. Lorsque j'ai commencé dans le domaine des séminaires sur la créativité, j'ai envoyé un dépliant aux présidents et aux directeurs des ressources humaines de beaucoup d'entreprises. Je n'ai guère obtenu de réponses à cette communication promotionnelle. J'ai donc décidé que cela venait du fait que mon dépliant n'était pas intéressant. Avant de décider d'investir dans de nouveaux prospectus plus attrayants et plus chers, j'ai donc décidé de réfléchir. J'ai fini par réaliser que mon problème était de trouver un moyen d'attirer l'attention des personnes en mesure de prendre des décisions au sein de ces

> *Un problème bien posé est un problème à moitié résolu.*
>
> *– Charles F. Kettering*

organisations. Ensuite, je me suis demandé si j'avais vraiment besoin d'un dépliant ? La réponse était non. Plutôt que de dépenser encore plus d'argent pour en concevoir un nouveau, que la plupart des personnes qui le recevraient mettraient à la poubelle sans même prendre le temps de le lire, inondées qu'elles sont de courrier du genre, j'ai créé à la place un petit exercice que j'ai posté accompagné d'une lettre de présentation. Voici donc cette lettre, qui s'est avérée vingt fois plus efficace que n'importe quel prospectus coûteux.

Monsieur Anderson

Directeur général

Réseau radiophonique CFFC

Vancouver, C.-B.

Cher Monsieur Anderson,

J'aimerais que vous preniez en considération quelque chose de très important. Vos cadres ont-ils des idées novatrices ? Il est possible qu'ils ne soient pas innovateurs et que vous aimeriez qu'ils le soient. Dans le monde des affaires, les entreprises qui font preuve de beaucoup d'imagination sont celles qui réussissent à transformer les idées en avantages concurrentiels. Cela signifie que votre entreprise doit faire preuve de créativité pour ne pas péricliter. Vos employés doivent faire preuve d'idées innovatrices pour offrir de nouveaux services, améliorer la productivité, trouver des idées inédites pour promouvoir vos produits et développer de nouveaux marchés.

Je vous propose une façon intéressante de vérifier le degré de créativité de vos employés. Demandez-leur de faire l'exercice qui suit.

Exercice : Qu'ont en commun un lit, un livre et une liqueur ?

Les employés possédant beaucoup de créativité n'auront aucun mal à trouver au moins vingt réponses. Une grande majorité d'employés en trouveront environ cinq et certains n'en trouveront qu'une ou deux. Vous imaginez la perte de rentabilité de votre entreprise si vos employés ne trouvent qu'une ou deux solutions à cet exercice alors qu'il en existe plus d'une vingtaine... Dans quelques jours, je vous donnerai plus de trente solutions à cet exercice (fournies par une seule personne). Je vous enverrai la façon détaillée d'améliorer la créativité de tous vos employés, même de ceux qui ne manquent déjà pas d'idées.

Sincères salutations,

Ernie J. Zelinski

N'hésitez donc pas à investir un peu ou même beaucoup de temps pour analyser comme il faut votre problème. À quoi cela vous servirait-il de trouver toute une série de solutions intelligentes, si vous n'avez pas la moindre idée du problème qui vous est posé ? Après avoir bien cerné votre problème, trouvé des solutions et les avoir analysées, vous serez prêt à appliquer les solutions que vous aurez choisies. Ce faisant, vous verrez qu'elles ont engendré d'autres problèmes. Ne désespérez pas. Cela vous permettra de faire preuve d'encore plus de créativité. Pour cela, vous mettrez à nouveau à contribution les dix-sept principes de créativité, en suivant les quatre étapes évoquées auparavant.

Le principe de créativité le plus important

La créativité est une force qui nous aide à vivre pleinement. La personne qui possède un esprit extrêmement créatif est sans cesse en train de découvrir de nouvelles choses, de nouvelles façons de les faire, et débouche sur de nouvelles perspectives sur la vie. Les personnes qui ont l'esprit créatif font preuve de souplesse, une qualité que le taoïsme porte aux nues. Les éléments qui ont survécu sur terre sont ceux qui ont su s'adapter sans effort à l'environnement et aux circonstances changeantes. Votre souplesse vous aidera à modifier vos projets suivant votre parcours, à réagir rapidement face à l'inconnu ou à réaménager votre emploi du temps sans que cela provoque chez vous une crise émotive importante.

Commencez donc dès maintenant à faire preuve de créativité. Vous devez vous rappeler constamment à quel point l'imagination tient une place importante dans la réussite. Dans tous les secteurs de l'activité humaine, les personnes faisant preuve d'imagination sont celles qui finissent toujours par réussir. Elles perçoivent des coups de chance là où d'autres voient des catastrophes insurmontables. En situation difficile, les personnes qui font preuve d'idées créatrices agissent plutôt que de se plaindre continuellement. Le fait d'utiliser sa créativité permet de cumuler un plus grand nombre de réussites au cours d'une vie, comme obtenir de l'avancement au travail, être heureux, entretenir des relations sérieuses et conserver sa santé physique et psychique.

Au fait, je dois ajouter un autre principe aux dix-sept précédemment énoncés. Ce dernier est le plus important: oubliez tous les principes de créativité qui ne conviennent pas à votre vie. Qui dit d'ailleurs qu'il existait une bonne ou une mauvaise manière d'être créatif? Il existe aussi d'autres techniques. En fait, vous devez viser à améliorer votre capacité de saisir les occasions et de générer le plus d'options possible dans votre vie en utilisant un maximum de techniques.

CHAPITRE 1

COMMENT DEVENIR CRÉATIF EN FAISANT DES GRAFFITIS

Pour devenir créatif, oubliez tout ce que vous savez

Commençons ce chapitre avec les exercices suivants.

Exercice 1.1 – L'œuf de Christophe Colomb

Cet événement s'est produit à la cour du roi d'Espagne. Christophe Colomb demanda un jour aux courtisans s'ils pouvaient prendre un œuf et le faire tenir debout. Ils essayèrent, en furent incapables et conclurent que c'était impossible.

Colomb leur affirma que lui pouvait le faire. Les courtisans firent le pari qu'il n'y arriverait pas. Christophe Colomb réussit à faire tenir l'œuf debout et toucha l'argent du pari, laissant derrière lui des courtisans plutôt frustrés.

Comment croyez-vous que ce grand navigateur s'y est pris ?

Bien que n'ayant aucune connaissance préalable de l'exercice précédent, avez-vous réussi à rassembler quelques bonnes idées pour résoudre ce problème ? (Voir la solution dans les notes de chapitre, page 37.) Avez-vous pensé à de nouvelles solutions pour résoudre ce problème ou avez-vous cherché dans les connaissances déjà acquises ? Gardez toujours présent à l'esprit que ce que vous connaissez déjà n'est qu'une certaine connaissance.

> C'est dans la réussite et dans l'excitation provoquée par l'effort créatif que l'on trouve le bonheur.
> – Franklin D. Roosevelt

La connaissance n'est pas synonyme de créativité : la créativité transcende la connaissance. Il y a, ici, une énorme distinction à faire entre les deux. Beaucoup de gens pensent que le fait de comprendre et de se souvenir d'une grande quantité de faits et de chiffres leur procurera un avantage dans la vie. En fait, il se peut bien que cela leur donne un grand avantage pour jouer à *Trente arpents de pièges*[1], mais pour jouir d'un véritable avantage dans la vie, il est impératif de posséder un avantage sur le plan de la créativité. Il est plus important de pouvoir penser de multiples façons différentes que de se souvenir du nom des membres de l'équipe qui a remporté la coupe Stanley ou de la société, citée au palmarès du magazine *Fortune*, qui a réalisé les plus importants bénéfices au cours de l'année écoulée.

> Qu'avez-vous dans la tête? Enfin, bon, disons que c'est une manière de parler...
>
> – Fred Allen

Pour pouvoir être créatif, essayez donc de mettre de côté toutes vos connaissances. Il est probable que vous devrez contester et même oublier ce que vous connaissez. La différence entre « connaissance » et « créativité » est énorme. Stephen Leacock a dit : « Je préférerais avoir écrit *Alice au pays des merveilles* plutôt que toute l'*Encyclopædia Britannica*. » Albert Einstein a mis la même emphase sur ce point très important en disant : « L'imagination est bien plus importante que la connaissance. » Ce que Leacock et Einstein voulaient dire, c'est que l'imagination transcende la connaissance.

Nous avons vaguement défini la créativité comme étant la capacité d'offrir quelque chose de nouveau. Qu'y avait-il de nouveau dans les idées que nous avons eues pour faire tenir l'œuf debout? La connaissance des anciennes façons de faire est très valable; cependant, nous devons chercher des idées nouvelles pour trouver des solutions plus efficaces. Le fait de réfléchir de façon novatrice permet d'affronter toutes les nouvelles situations de la vie et tous les problèmes qui surgissent en utilisant de nouvelles manières de faire pour les surpasser avec beaucoup plus de facilité.

> Très peu de gens font preuve de créativité passé trente-cinq ans. La raison en est toute simple : très peu de gens en font preuve <u>avant</u> l'âge de trente-cinq ans.
>
> – Joel Hildebrand

On peut trouver de nouvelles façons d'approcher chaque chose. Abraham Maslow a déclaré qu'en préparant une très bonne soupe, on peut faire preuve d'autant de créativité qu'en créant un superbe tableau ou une symphonie. La créativité

---

1. Jeu de société québécois très diffusé dans la francophonie, inspiré du jeu américain *Trivial Pursuit*.

se trouve partout : dans la peinture, la cuisine, les différentes techniques, la menuiserie, la comptabilité, l'économie, les loisirs et les sports. La créativité nous a accompagnés au cours des siècles passés et continuera de jouer un rôle de plus en plus important dans notre développement futur.

Quel niveau de créativité avez-vous atteint ?

Vous pouvez être plus créatif, que ce soit au travail ou dans vos loisirs. La question qui se pose est la suivante : quel niveau de créativité avez-vous atteint ? J'aimerais que vous fassiez l'exercice 1.2, qui est en fait celui que j'ai utilisé dans ma lettre, à la page 25.

Exercice 1.2

Donc, qu'ont en commun un lit, un livre et une liqueur ?

Vous remarquerez que les personnes à l'esprit très créatif n'éprouveront aucune difficulté à trouver au moins vingt réponses à cette question. Toutefois, la plupart des gens n'en trouveront que cinq et d'autres arrêteront de chercher après avoir trouvé une ou deux réponses. Si vous appartenez à cette dernière catégorie, cela signifie-t-il aussi que vous vous arrêtez après avoir trouvé une ou deux solutions à vos problèmes quotidiens, que ce soit au travail ou dans vos loisirs ?

Si vous n'avez trouvé qu'une ou deux réponses, cela signifie que vous n'avez pas mis beaucoup d'effort à le résoudre. Après avoir constaté les diverses solutions possibles (voir les

Vous voulez savoir ce qu'un lit, un livre et une liqueur ont en commun ?

notes de chapitre, page 39), vous remarquerez qu'il en existe un nombre infini, tout comme les solutions à nos problèmes quotidiens. Si vous vous arrêtez à une ou deux solutions, alors qu'il en existe un grand nombre, voire dans certains cas, un nombre infini, vous ratez beaucoup d'occasions dans votre vie.

Ils ont en commun qu'un cinglé comme Zelinski les a utilisés pour inventer un exercice stupide.

Il existe un nombre illimité de manières d'utiliser votre créativité, que ce soit au travail ou dans vos loisirs, car cette faculté se trouve dans toutes les facettes de la vie. Qu'il s'agisse de faire un simple graffiti ou de rédiger un texte juridique, vous découvrirez en lisant les pages qui suivent et les exemples donnés au cours des prochains chapitres comment votre créativité peut améliorer votre vie. L'effort supplémentaire consenti débouchera sur une meilleure estime de vous-même, une croissance personnelle, un enthousiasme accru pour résoudre les problèmes, une plus grande confiance pour affronter de nouveaux défis et envisager de nouvelles perspectives, que ce soit au travail ou dans votre vie personnelle.

La créativité mise en boîte

(La créativité exprimée dans un bon graffiti)

Dieu est mort
– Nietzsche

Nietzsche est mort
– Dieu

Tous les extrémistes devraient être pendus

PRÉPAREZ-VOUS À RENCONTRER DIEU!
(SMOKING DE RIGUEUR. PAS DE JEANS.)

ON A POUSSÉ HUMPTY DUMPTY EN BAS DU MUR

La mort est la manière naturelle que prend la vie pour vous dire de ralentir

Ève a été victime d'un coup monté

Nous faisons confiance au Seigneur
(Tous les autres doivent payer comptant!)

LA RÉALITÉ EST BONNE POUR CEUX QUI NE TOLÈRENT NI L'ALCOOL NI LA DROGUE

Ce point de vue est relatif
(Phrase dite par Picasso à Einstein)

Nuls en ortografe, unissez-vous!

Je ne supporte absolument pas l'intolérance

Je donnerais mon bras gauche pour être ambidextre

Mickey Mouse est un rat!

S'il vous plaît, ne pas tirer pas la chasse d'eau lorsque le train est en gare (sauf à Pittsburgh[2])

---

2. Ou toute autre ville industrielle aussi peu attrayante...

L'ÉDUCATION SEXUELLE EST TRÈS INTÉRESSANTE, MAIS ON NE ME DONNE JAMAIS DE DEVOIRS À FAIRE...

JE SUIS SCHIZOPHRÈNE (Moi aussi. Nous sommes donc quatre à être schizos)

Roy Rogers avait la gâchette facile

Isaac Newton avait raison C'est ici le centre du graffiti

Le pouvoir corrompt. Le pouvoir absolu est bien plus drôle

Ne regardez pas en l'air, vous tenez la plaisanterie entre vos mains (écrit au-dessus d'un urinoir)

Mon père dit que ça ne marche pas (écrit sur une distributrice de préservatifs)

Le célibat n'est pas un trait héréditaire

LES JOURS DES GRAFFITIS SONT COMPTÉS Regardez ce qui est écrit sur le mur

Buvez du ciment liquide et devenez vraiment stone

Les avocats aussi peuvent être créatifs

Le récit véridique du procès que je vous décris ici vous montrera que les avocats, comme tout le monde, sont dotés d'un pouvoir créatif.

Le 23 novembre 1917, une plainte a été déposée à la cour de Battleford par les plaignants, H.C. Humphrey et H.G. Chard, pour des préjudices qui auraient été commis envers leur truie, préjudices causés par un porc mâle, propriété de l'accusé, Joseph Odishaw. La plainte était ainsi formulée :

> Je ne peux me livrer à quelque activité littéraire que ce soit pour le reste de l'année, car je suis en train de penser à une autre poursuite judiciaire et je cherche un accusé.
>
> – *Mark Twain*

Le 4 novembre 1917, un verrat, appartenant à l'accusé, a eu la permission de son propriétaire d'aller se promener, ce qui est contraire aux règlements municipaux. Ce même verrat a pénétré à l'intérieur de la propriété de la partie plaignante, telle que décrite auparavant, le 4 ou aux environs du 4 novembre 1917. Il a ensuite servi ladite truie du plaignant et celle-ci s'en trouva grosse, ce qui portait un préjudice au plaignant.

La partie plaignante réclame donc 200 dollars en dommages et intérêts, ainsi que le remboursement des frais.

Le 4 janvier 1918, l'avocat de l'accusé, Me A.M. Planton, C.R.[3], de la Ville de North Battleford, fit parvenir sa plaidoirie. La troisième possibilité présentée dans la plaidoirie pouvait se lire comme suit :

> Dans l'éventualité où l'accusé admette que son verrat a pénétré dans la propriété du plaignant, et qu'en a résulté un acte sexuel entre le verrat et la truie, cet acte n'aurait eu lieu qu'après que ledit verrat ait été sollicité par la truie et qu'il n'ait fait que répondre à ses flatteries. Par conséquent, ladite truie se trouve à être coupable de la conduite reprochée au verrat par le plaignant, et les torts devraient être partagés entre le verrat et la truie. De plus, le plaignant et la truie se trouvent coupables de faute contre la moralité publique, car on doit empêcher une truie aux habitudes aussi dépravées de corrompre le climat d'un quartier respectable.
>
> L'accusé revendique le droit d'introduire une demande reconventionnelle contre le plaignant pour avoir diminué les facultés vitales dudit verrat, sur lequel il comptait pour se nourrir.
>
> L'accusé demande donc que les charges contre lui soient retirées et que les frais soient à la charge du plaignant.

On ne rapporte pas qu'il y ait eu un procès ou qu'un jugement ait été porté dans cette cause. Il est probable que le procès a été annulé.

Est-il plus important que votre cerveau penche soit vers la droite, soit vers la gauche ?

La pensée créatrice peut être divisée en deux types, qui ont autant d'importance l'un que l'autre pour le procédé créatif.

Solutions

Réflexion approfondie

Réflexion superficielle

3. « Conseiller de la Reine », titre honorifique qu'obtiennent certains avocats canadiens.

La **réflexion superficielle** est celle que la plupart d'entre nous peuvent améliorer. Beaucoup d'artistes et de musiciens sont des spécialistes de ce genre de réflexion. D'habitude, le système scolaire et les organisations n'apprécient pas que nous réfléchissions de façon superficielle.

Ce mode de réflexion exige que nous fassions preuve de souplesse et que nous agissions un peu à l'aveuglette. Il faut aussi que nous ne soyons pas raisonnables et que nous demeurions tout à fait neutres. L'humour et l'esprit espiègle tirent leurs origines

Ainsi donc, vous êtes un artiste? Vous, les artistes, vous avez bien le cerveau qui penche vers la droite, n'est-ce pas?

de la réflexion superficielle et ce mode de réflexion est tout à fait propice à provoquer de nombreuses idées. Les chercheurs disent que la réflexion superficielle provient de la partie droite du cerveau et c'est à elle que nous devons généralement faire appel pour résoudre nos problèmes. avant de procéder à une réflexion approfondie.

La **réflexion approfondie** représente ce que chacun de nous fait de mieux. C'est cette pensée analytique que toutes les organisations et tous les systèmes apprécient le plus et qui nous mérite des remerciements.

C'est ce genre de pensée qui fait de nous des personnes logiques et pratiques, et c'est le genre de pensée que nos parents souhaitent pour nous. La société nous préfère logiques et pratiques.

La réflexion approfondie est ce dont nous avons besoin pour analyser les idées lorsque nous nous efforçons de résoudre nos problèmes. Nous utilisons la réflexion approfondie pour mettre nos projets à exécution. L'hémisphère gauche du cerveau est responsable de ce genre de pensées.

Hémisphère gauche	Hémisphère droit
Pratique	Fantaisiste
Sérieux	Ludique
Analytique	Intuitif
Structuré	Souple
Méthodique	Aléatoire
Réalité et interpolation	**Avenir et extrapolation**

Les solutions à nos problèmes font appel à deux modes de raisonnement pour être nombreuses et de qualité valable. Il est, cependant, regrettable que la majorité d'entre nous n'utilise pas de façon efficace ces deux modes de raisonnement. Beaucoup de gens ont recours à la réflexion approfondie, alors que d'autres n'utilisent que la réflexion superficielle.

**La réussite sur le plan de la créativité
exige le raisonnement approfondi
et le raisonnement superficiel**

Les solutions novatrices dépendent à la fois de ces deux modes de raisonnement. Au départ, nous devrions être en mesure de générer le plus grand nombre d'idées possible en utilisant la réflexion superficielle. Puis, en utilisant la réflexion approfondie, nous devrions être capables d'en faire l'évaluation. Ce processus finira par engendrer plusieurs bonnes solutions à nos problèmes.

La vraie pensée créatrice résulte d'un équilibre entre le raisonnement approfondi et le raisonnement superficiel, qui sont utilisés à tour de rôle aux moments appropriés. Il est très difficile de résoudre des problèmes en utilisant seulement le raisonnement approfondi sans y ajouter de nouvelles idées à travailler. Il est également totalement inefficace de générer beaucoup de nouvelles idées grâce à un raisonnement superficiel, si celles-ci ne sont pas analysées et réalisées correctement.

Il est important de noter que certains chercheurs ne sont pas satisfaits de la tendance actuelle qui voudrait cataloguer les gens en fonction de l'hémisphère du cerveau utilisé. En effet, pour excuser leurs limitations, certaines personnes pourraient prétexter qu'elles utilisent le côté droit ou le côté gauche de leur cerveau et faire des déclarations du genre : « Eh bien, je suis une personne qui utilise l'hémisphère droit de son cerveau pour raisonner, et c'est pour cela que je suis nulle lorsqu'il s'agit de demeurer dans les limites de mon budget. »

Nous devons tous améliorer notre raisonnement, qu'il vienne de l'hémisphère droit ou du gauche. Les chercheurs ont estimé que le cerveau humain possède environ un million de millions de cellules, soit 1 000 000 000 000. Pour ce qui est de la créativité, je connais des personnes qui n'utilisent que mille de ces cellules, ce qui leur donne pour fonctionner dans la vie, un petit QI de 18.

Ne te mesure pas à moi, Rivers, je possède un Q.I. de 160…

– Reggie Jackson

Jackson, tu ne peux même pas épeler Q.I. !

– Micky Rivers

En effet, il est tout à fait exact que 95 pour cent des gens sont insatisfaits de leur capacité de raisonnement. Les chercheurs disent que nous utilisons seulement 10 pour cent de notre cerveau, qu'il s'agisse de l'hémisphère droit ou du gauche. Il n'est donc pas surprenant que nous ne fassions pas preuve de créativité ; nous gaspillons environ 90 pour cent de notre cerveau.

Que nous soyons des personnes qui utilisent l'un ou l'autre hémisphère, il n'en reste pas moins que nous possédons des milliards de cellules cérébrales sous-utilisées, dans l'hémisphère droit comme dans le gauche. Nous pourrions tous fonctionner beaucoup mieux dans les domaines où nous affichons notre faiblesse. Il suffirait de faire un tout petit effort.

Notes de chapitre

Exercice 1.1

Christophe Colomb est allé dans la cuisine et a fait bouillir l'œuf. Puis, il a cogné l'une des extrémités de l'œuf sur une table, ce qui a fait qu'il a pu se tenir debout.

Il existe, évidemment beaucoup d'autres manières de faire tenir un œuf debout. Au cours de mes séminaires, nous sommes parvenus à plus de vingt solutions différentes. Pour en connaître quelques-unes, référez-vous à l'annexe, page 257.

Exercice 1.2

Voici quelques-unes des solutions les plus évidentes et les plus ennuyeuses de cet exercice. Rien ne vous empêche de vous en inspirer pour en trouver d'autres de votre propre cru.

- Tous les trois sont représentés par des mots commençant par la lettre L.
- Tous les trois font l'objet de publicité dans les journaux.
- Tous les trois sont vendus.
- Tous les trois résultent d'un procédé de transformation industrielle.
- Tous les trois sont conçus pour être utilisés par des êtres humains.
- Tous les trois sont représentés par des mots dans la langue française.
- Tous les trois sont représentés par des noms communs.
- Tous les trois sont représentés par des noms communs constitués de voyelles et de consonnes.
- Tous les trois sont des objets.

Pour connaître des solutions plus intéressantes à cet exercice, référez-vous à l'annexe, page 257. En regardant les trente et quelque solutions que j'ai créées, vous verrez que le nombre de réponses est pratiquement illimité.

CHAPITRE 2

DÉPOUILLÉ À VOTRE INSU PAR LES CRIMINELS DE LA CRÉATIVITÉ

Qui a bien pu vous la voler?

Un beau soir, alors que mon neveu de cinq ans, Cody, toujours aussi exubérant commençait à me tomber sur les nerfs, je lui ai dit: «Cody, ça suffit, je pense qu'il est l'heure d'aller te coucher. Pourquoi ne vas-tu pas faire dodo?» Il m'a alors regardé et répondu sans hésiter un seul instant: «Jamais dans cent ans.» Et pour être certain de s'être fait bien comprendre, il a ajouté rapidement: «Je ne vais me coucher que le matin.» Cela m'a fortement impressionné. «Voilà donc un trait de créativité», ai-je pensé. Il n'y a pas beaucoup d'adultes – s'il y en a – qui arriveraient aussi rapidement à fournir deux réponses en un laps de temps aussi court.

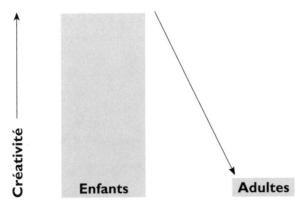

Les adultes se demandent souvent pourquoi les jeunes enfants peuvent s'amuser aussi bien avec une boîte en carton qu'avec le jouet qui était dans la boîte. Réponse: les enfants sont tout simplement plus créatifs que les adultes. La plupart des adultes ont acquis une pensée bien trop structurée, surtout en ce qui concerne les jeux. Ils n'arrivent même pas à imaginer toutes les manières possibles de s'amuser avec une boîte en carton.

Les chercheurs ont confirmé que les enfants possèdent un esprit beaucoup plus créatif que les adultes. Qu'est-il donc arrivé à notre capacité créatrice entre l'enfance et l'âge adulte ? Il est évident que, dans le monde qui nous entoure, nous devons faire face à beaucoup de barrières qui nous empêchent d'exprimer notre créativité.

En fait, c'est encore pire que cela. Ces barrières ont agi davantage comme des criminels, de sorte qu'une fois parvenus au milieu de l'âge adulte, pratiquement toute la créativité que nous avions enfants nous a été dérobée. La revue *Business Week* relatait il y a quelque temps qu'un adulte de quarante ans possédait deux pour cent de la créativité d'un enfant de cinq ans.

Mais qui donc nous a volé 98 pour cent de notre créativité que nous avions avant d'atteindre quarante ans ? Qui devons-nous blâmer pour cela ?

Exercice 2.1 Un logotype ou pas ?

Vous êtes le nouveau directeur commercial d'une entreprise assez importante, la Trane Computer Systems. Votre patron, le directeur de la société, vient d'entrer dans votre bureau et vous annonce que la société veut se donner une nouvelle image. Il vous demande de concevoir vous-même un nouveau logo pour la société. Vous avez deux semaines pour accomplir ce travail.

Vous savez que votre prédécesseur était un véritable artiste et qu'il s'occupait de toutes ces questions d'ordre artistique. Vous vous dites que dans ce domaine votre bagage laisse à désirer. En fait, vos connaissances graphiques se résument à ce que vous avez appris à l'école primaire et vous n'avez rien fait qui se rapporte aux arts plastiques depuis ce temps-là. De plus, dans votre service, personne ne manifeste plus de talents artistiques que vous.

Comment vous sortirez-vous de cette impasse ?

Je n'ai jamais laissé mes études nuire à mon éducation.

– Mark Twain

Comment avez-vous réagi à la mise en situation de l'exercice précédent? Avez-vous pensé à concevoir vous-même le logo en question? Si vous ne l'avez pas fait, réfléchissez à la raison qui a motivé votre décision. Il est bien possible que la cause en soit ces brigands, qui vous ont dérobé votre volonté d'affronter des tâches qui exigent que l'on affronte un défi et que l'on fasse preuve de pouvoir créatif.

Les quatre bandits de grands chemins qui vous ont décervelé

- La société
- Les établissements d'enseignement
- Les organisations
- Nous-mêmes

La pègre institutionnelle exige votre conformisme

Si vous avez décidé de ne pas concevoir le logo demandé parce que vous n'avez aucune formation en graphisme, vous avez

accepté de devenir une victime du conditionnement sociétal. Le conditionnement culturel nous porte en effet à penser que nous devons posséder un diplôme ou une formation reconnue dans un domaine précis pour pouvoir accomplir quelque chose de valable dans ce domaine. Cette façon de penser est totalement absurde. Voyons maintenant quelques exemples de personnes qui ont accompli des choses dans des domaines où elles n'avaient aucune formation particulière.

On m'accuse de désordre? Je plaide non coupable, Monsieur le juge, car je n'ai aucune créativité...

- Le logo de Coca-Cola a été inventé par un comptable qui n'avait aucune formation artistique.

- Samuel Morse, un artiste, a inventé le télégraphe.

- Robert Campeau, dont le niveau scolaire n'a pas dépassé la huitième année est arrivé à la tête d'une chaîne de grands magasins valant plus d'un milliard de dollars.

- Les frères Wright ont inventé l'avion. Ils étaient mécaniciens de bicyclettes et non ingénieurs en aéronautique.

- Le stylo à bille a été inventé par un sculpteur.

La société fait pression sur nous pour que nous nous comportions suivant des conditionnements de toutes sortes qui ont un fort impact sur nos vies. Les tabous et les traditions imposées par nos cultures agissent au détriment des nouvelles idées. Il existe une surenchère dans la concurrence et cela pousse les individus à commettre des actions qu'ils ne commettraient pas autrement. La raison et la logique sont bien vues mais pas l'humour, l'intuition et la fantaisie. Tous ces facteurs nous ont volé des occasions de devenir des personnes à l'esprit créatif.

Le conformisme est le geôlier de la liberté et l'ennemi de la croissance.

– John F. Kennedy

La dictature des systèmes d'éducation exige une seule et bonne réponse

Il est possible que vous ayez choisi de ne pas faire le logo de l'exercice 2.1 parce que vous n'avez aucune idée de la façon de vous y prendre. Le fait que nous ayons appris à l'école que nous devions toujours donner la bonne réponse constitue un véritable handicap. Il y a de nombreuses manières de concevoir un logo, tout comme il existe de nombreuses solutions à nos problèmes. Nous quittons l'école en pensant qu'il existe une formule pour chaque problème alors qu'en fait la majorité des problèmes ne peuvent être résolus au moyen de formules. Il nous faut plus de créativité que cela. J'ai souvent trouvé qu'il était beaucoup plus efficace de s'éloigner des formules toutes prêtes. Le raisonnement et la logique sont enseignés à outrance dans la majorité des écoles au détriment de sujets beaucoup plus importants. Le système scolaire actuel semble ignorer que dans le monde des affaires le pouvoir décisionnel ne peut reposer uniquement sur le raisonnement et la logique. Les cadres des entreprises disent qu'ils utilisent leur intuition pour au moins 40 pour cent des décisions importantes qu'ils doivent prendre. Cependant, le système scolaire ne fait que peu de cas de l'intuition et d'autres éléments de créativité importants tels l'enthousiasme, le sens de l'humour et la capacité d'avoir une vision.

> En tout premier, Dieu a créé les imbéciles. Il ne s'agissait que d'une répétition. Ensuite, il a créé les commissions et les conseils scolaires.
>
> – *Mark Twain*

- Quelqu'un a déjà demandé au grand philosophe et inventeur qu'est Buckminster Fuller comment il était devenu un génie. Il a répondu qu'il n'était pas un génie, ajoutant qu'il n'avait tout simplement pas été aussi abruti par le système d'enseignement que l'avaient été d'autres personnes. Il estimait que les systèmes d'éducation peuvent nous causer beaucoup de dommages.

- Fred Smith, le fondateur de Federal Express, le service de courrier bien connu, avait, en guise de travail universitaire, élaboré un plan d'affaires qui laissait entrevoir sa formule. Son professeur n'avait pas eu une forte opinion de son travail et lui avait donné une note déplorable. Il est heureux que Fred Smith n'ait pas été influencé par l'évaluation hyper intellectuelle de son mentor : à l'heure actuelle, son entreprise est l'une des plus importantes et des plus innovatrices au monde dans le domaine du courrier.

La dictature organisationnelle dévalorise l'esprit humain

De nombreuses entreprises déclarent être innovatrices et en faveur des personnes possédant un esprit créatif. En fait, bien peu le sont. Il est vrai que qualifier une entreprise d'«innovatrice» présente bien. Ces entreprises déclarent être innovatrices parce que l'expression est dans le vent, mais si l'on prend soin d'observer leurs agissements, la vérité est tout autre : on s'aperçoit alors qu'elles tentent inconsciemment de vandaliser la créativité dont font preuve les employés les plus innovateurs.

> *L'instruction est une chose fantastique. Mais n'oublions pas, cependant, que tout ce qui vaut la peine d'être connu ne s'enseigne pas.*
>
> *– Oscar Wilde*

La majorité d'entre nous n'essaiera même pas de concevoir le logo comme cela nous a été proposé au cours de l'exercice 2.1, à cause des facteurs organisationnels qui ne font que décourager toute tentative de créativité. Lorsqu'on est créatif, on prend des risques et prendre des risques est une chose que nous hésitons à faire au travail, car les conséquences possibles nous effraient.

Lorsqu'un employé fait preuve de beaucoup de créativité, il est fréquent que l'entreprise pour laquelle il travaille n'appuie pas ses initiatives. Les personnes qui démontrent une très grande créativité remettent en question les traditions et les règlements, suggèrent de nouvelles façons de fonctionner, disent la vérité telle qu'elle est et donnent l'impression d'être des éléments perturbateurs aux yeux des autres employés. Les qualités qui font de ces employés des personnes très innovatrices sont en général mal vues par l'entreprise. De nombreuses tentatives sont faites pour les transformer et les amener à se comporter comme des employés ordinaires.

Dans ces entreprises collectives, les normes priment sur l'effort individuel et l'ingéniosité de chacun. Les patrons qui agissent tels des dictateurs découragent toute initiative de leurs employés. L'organisation sacrifie les innovations et la créativité pour ne pas avoir à faire face au désagrément et aux perturbations qui sont nécessairement liés à toute innovation.

Bien que pour réussir les entreprises aient besoin, à l'heure actuelle, d'employés à l'esprit novateur, un grand nombre d'entre elles en arrivent à priver leurs employés de la possibilité de montrer un tel esprit et finissent par passer à côté du succès.

Nous sommes les plus grands voleurs de nos facultés intellectuelles

Nous érigeons nombre des barrières qui nous privent de notre créativité. En évitant, par exemple, de concevoir un logo parce qu'on n'a pas reçu de formation graphique en bonne et due forme, nous faisons preuve d'une certaine appréhension. La crainte d'échouer est l'un des grands arnaqueurs de notre créativité, de même que la peur, la paresse et notre perception des choses. Ces éléments peuvent nuire à notre volonté d'accepter le défi et d'entreprendre la conception d'un nouveau logo pour l'entreprise ou de nouveaux projets dans notre vie.

> Un homme sans imagination est comme un oiseau sans ailes.
>
> – Wilhelm Raabe

La paresse a pour cause première le manque de motivation. Les experts en motivation déclarent que seulement dix pour cent des Américains découvrent leurs propres motivations. Si nous nous laissons exclusivement motiver par les éléments extérieurs, nous ne ferons pas le nécessaire pour découvrir et reconnaître nos capacités créatrices.

Au cours de notre existence, nous créons de nombreuses perceptions qui ne sont pas forcément représentatives de la réalité. L'impression de ne pouvoir concevoir un logo parce que nous ne possédons pas la formation adéquate en est un bon exemple. Cette perception est erronée : la plupart d'entre nous ne font pas partie de la communauté artistique parce que nous n'avons jamais fait l'effort de la joindre. Lorsque nous aurons fait cet effort, nous pourrons tous concevoir un logo.

> Il est beaucoup plus risqué d'avoir peu de connaissances que d'en avoir trop.
>
> – Samuel Butler

Notre perception des choses peut déformer les réalités de la vie. Jetons un coup d'œil aux exercices suivants pour comprendre à quel point cette perception peut facilement fausser la réalité.

La perception peut se montrer décevante

Exercice 2.2 – Regard sur la perception

Après avoir jeté quelques coups d'œil rapides aux quatre images qui suivent, prenez une feuille de papier et écrivez tout ce que vous avez vu.

Figure 2.1

LE COUP DE DE DE BUSH

Figure 2.2

Le premier salon de la femme à Edmonton

Soyez tout ce que vous pouvez être !

Les 15, 16 et 17, octobre 2004

Northlands Agricom
Le Salon de la femme d'Edmonton
Un salon pour la femme

Défilés de mode
Démonstrations de cuisine
Conférences
Plus de 150 kiosques qui vont de la mode à la santé, en passant par les conseils financiers et l'orientation professionnelle.

Figure 2.3

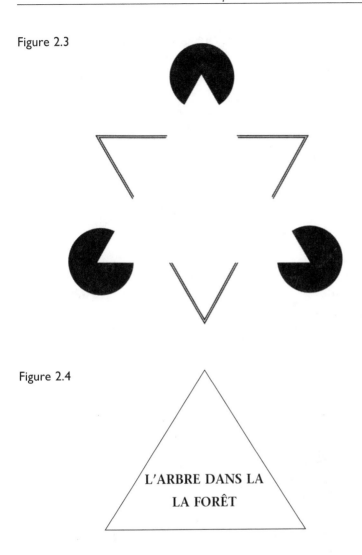

Figure 2.4

L'ARBRE DANS LA
LA FORÊT

Les figures précédentes illustrent bien que notre perception des choses n'est pas toujours aussi bonne que nous le croyons.

Si vous avez examiné la phrase de la figure 2.1, vous n'avez probablement vu que les trois DE et avez conclu qu'il s'agissait là d'une erreur typographique. Dans cette manchette d'un journal européen qui, comme beaucoup de ses semblables, ne croit pas à l'accentuation des majuscules, vous n'avez peut-être pas remarqué les autres possibilités de cette phrase, qui nous signale tout simplement le coup de DÉ politique d'un certain président américain.

La figure 2.2 est une publicité pour le Salon de la femme d'Edmonton. En fait, voilà un exemple intéressant de ce que nous pouvons voir si nous prenons le temps de regarder comme il faut. Vous remarquerez la silhouette de la tête de l'homme dans la chevelure de la femme, à droite sous la phrase «Soyez tout ce que vous pouvez être». Environ 95 pour cent des personnes ne verront pas cette silhouette au premier coup d'œil. A-t-elle été placée là de façon intentionnelle ? Qu'en pensez-vous ?

Dans la figure 2.3, vous avez remarqué sans doute qu'un des triangles était plus blanc que l'autre. Vous verrez qu'en fait aucun triangle n'a été vraiment dessiné. Vos yeux ont imaginé la présence d'un triangle en se basant sur les autres dessins. De plus, la blancheur que vous avez remarquée dans ce triangle mirage n'existe pas. Elle est comme le reste de la page.

Si vous avez regardé comme il faut le texte dans le triangle de l'exercice 2.4, vous auriez dû lire :

L'arbre dans la forêt

Si vous n'avez pas vu qu'il y avait deux **la**, cela prouve que vous n'avez pas vraiment vu ce qui existe. C'est exactement ce que nous faisons dans la vie : nous ne voyons bien souvent qu'une seule solution à nos problèmes alors qu'il en existe de nombreuses.

Des exercices classiques aux solutions non classiques

Voyez les exercices qui suivent comme étant un test de vos capacités créatrices. Il est possible que vous les connaissiez déjà. Si vous connaissez déjà les réponses, gardez en mémoire que pour être créatif, vous devez dépasser vos connaissances afin de découvrir quelque chose de nouveau. La connaissance de ce qui existe déjà n'a rien de créatif. Essayez de trouver de nouvelles solutions à chaque exercice

Exercice 2.3 – Le vieux truc de la transformation du « 9 » en « 6 »

Changez le chiffre romain neuf pour en faire un six en ajoutant une seule ligne.

IX

(La solution se trouve dans les notes de chapitre, page 50.)

Exercice 2.4 – L'exercice « classique » des neuf cercles

Partie A

Reliez ensemble les neuf cercles ci-dessous en utilisant quatre traits droits, sans soulever votre crayon. (Si vous ne trouvez pas la solution au bout de quelques minutes, consultez les notes de chapitre, page 50.)

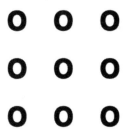

Partie B

Reliez ensemble les neuf cercles en utilisant trois lignes droites, sans jamais soulever votre crayon.

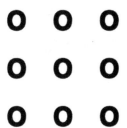

Partie C
Reliez maintenant les neuf cercles en utilisant une seule ligne droite, sans jamais soulever votre crayon.

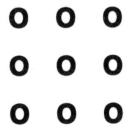

Notes de chapitre

Exercice 2.3

Pour résoudre ce problème, il faut renverser la croyance générale voulant qu'une ligne doit être droite et que le six doit être écrit en chiffres romains.

S I X

Beaucoup de conférenciers et d'orateurs utilisent cet exercice pour mettre l'emphase sur la créativité. Ils sont cependant très peu créatifs eux-mêmes, étant donné qu'ils adoptent la solution standard qui est utilisée partout. En fait, ils ne font que partager une connaissance acquise de quelqu'un d'autre.

Si ces mêmes conférenciers avaient essayé de faire preuve de créativité, ils auraient trouvé un minimum de sept solutions à cet exercice. Essayez de voir combien vous pouvez en trouver. (D'autres solutions se trouvent en annexe, page 258.)

Exercice 2.4 – Partie A

Vous ne trouverez jamais la solution de cet exercice si vous n'avez pas découvert le véritable problème. Souvenez-vous que la première étape de la créativité consiste à cerner correctement le problème posé. Si vous avez placé une barrière imaginaire autour des neuf cercles, il n'y a aucune solution. Il va falloir prolonger les lignes droites en dehors de ces barrières imaginaires pour pouvoir trouver la solution. (Voir l'annexe, page 259.)

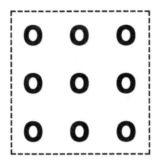

Exercice 2.4 – Parties B et C

Consultez l'annexe, page 259, pour les solutions.

CHAPITRE 3

AGIR, ÊTRE, AGIR, ÊTRE, AGIR...

Vous pouvez faire preuve de plus de créativité qu'Einstein ou Picasso

Tout au long de votre vie, pour surmonter les obstacles tels les normes imposées par la société, une situation financière précaire, les conflits avec votre famille, le manque de compétence ou un manque de temps dû aux besoins de vos enfants, la créativité représentera le plus clair de vos ressources. La créativité est le talent suprême disponible pour qui aspire à vivre heureux. S'il y a une chose qui puisse vous sortir d'une situation fâcheuse ou de l'ennui, tout simplement, c'est bien votre imagination. Les personnes douées d'un grand pouvoir créatif s'aperçoivent que les projets vraiment importants qu'elles réalisent se conçoivent dans la solitude. Les nouvelles idées et les découvertes n'ont, en général, pas besoin de l'aide d'un tiers.

Tous les enfants sont des artistes. Le problème, c'est de réussir à le demeurer une fois qu'ils ont grandi.

– Pablo Picasso

Vous vous dites peut-être: «Je ne possède aucun pouvoir créatif.» Ne dites pas n'importe quoi! Vous êtes né avec cette créativité au même titre que tous les autres êtres humains et vous devez la redécouvrir et commencer à l'utiliser à votre avantage. Allez-y! Il y a longtemps que vous pensiez être un petit génie, mais vous n'avez jamais eu le courage d'en parler aux autres. Maintenant, vous pouvez le faire.

Il y a moyen d'utiliser votre imagination pour améliorer votre vie de bien des manières. Au cas où vous seriez un père ou une mère célibataire, vous verrez que le fait d'être plus créatif vous aidera à organiser vos affaires personnelles, à établir des réseaux d'entraide, à joindre les deux bouts malgré un petit budget, à vous occuper de vos enfants et à avoir un emploi à temps plein (ou deux emplois à temps partiel) pour subvenir à vos besoins. En ayant un mode de vie agréable malgré de nombreux obstacles, vous aurez la preuve que votre créativité est plus grande que celle d'Einstein, de Picasso, de Van Gogh ou de Renoir.

Chassons nos idées romantiques à propos de la créativité

Si vous n'êtes pas encore convaincu d'être un génie, oubliez toutes les idées romantiques que vous pourriez entretenir à propos de la créativité. La créativité n'est pas un don divin dispensé à certains artistes ou à certains musiciens, pas plus que le résultat d'une grande souffrance ou de quelque lien mystérieux avec la démence ou l'hallucination. Certaines personnes pensent que pour être créatif il faut posséder un ou plusieurs des éléments suivants :

- Posséder un talent artistique rare.
- Avoir eu des parents qui ont encouragé leur créativité.
- Avoir reçu une formation artistique.
- Être une personne qui utilise l'hémisphère droit de son cerveau plutôt que le gauche.
- Posséder un Q.I. élevé.
- Avoir été indépendant très tôt dans l'enfance.

J'ai perdu mon dernier emploi parce que j'étais trop créatif. J'ai essayé de concevoir un interrupteur pour une machine à mouvement perpétuel...

On a souvent tendance à penser que la créativité est une question de talent spécial, de capacité et de connaissance ou les résultats d'un effort particulier. En fait, aucun de ces facteurs n'est essentiel pour connaître le succès grâce à la créativité. Examinez bien les personnes qui en font preuve. Elles sont tout simplement « créatrices ». Aucune d'entre elles ne pense avoir besoin d'un talent particulier pour exprimer cette créativité.

De nombreuses personnes pensent que le cheminement logique de la créativité passe par *avoir*, puis par *faire*, pour aboutir à *être*. Elles croient que l'on doit d'abord bénéficier de ce qu'*ont* les gens à l'esprit créateur: une bonne intelligence, un talent artistique, la capacité d'utiliser l'hémisphère droit de son cerveau et une foule d'autres choses. C'est alors seulement, croit-on, qu'on pourra finalement faire preuve de créativité. Cette croyance est tout à fait erronée. Il est totalement faux de croire que les créateurs ont hérité d'un talent spécial qui leur permet d'être ce qu'ils sont et que les autres n'ont pas ce talent.

> *Être, c'est agir.*
> — *Camus*
>
> *Agir, c'est être.*
> — *Sartre*
>
> *Do be do be do.*
> [*Agir, être, agir, être, agir*
> — *(sur un air de swing)*]
> — *Frank Sinatra*

Les chercheurs ont démontré que les personnes dites «non créatrices» possèdent tous les talents dont elles ont besoin pour être des créateurs.

J'ai rencontré beaucoup de personnes qui veulent être écrivains. Bien plus que de devenir «écrivains», ce qui exige beaucoup d'efforts et d'engagements personnels, la plupart d'entre elles recherchent tous les signes extérieurs propres aux écrivains à la mode. Elles veulent écrire un ou deux livres à succès et obtenir ainsi la renommée et les retombées financières, réelles ou imaginaires, dont bénéficient des personnes comme John Grisham ou Amélie Nothomb. Les gens veulent également devenir écrivains parce qu'ils veulent faire ce que font les écrivains connus, comme participer à des colloques branchés, à des émissions de radio ou à des débats télévisés.

On ne devient pas écrivain parce que l'on a écrit un livre à succès et que l'on a participé à des émissions de télévision pour faire la promotion de son livre. Les écrivains en herbe ne pourront jamais faire et posséder les attributs d'un auteur à moins de décider d'abord d'en *être* un. On ne devient pas travailleur de la plume par un coup de baguette magique. Pour devenir écrivain, je le répète, il faut décider de l'*être*, se jeter à l'eau, pour ensuite faire et avoir ce que font et ont les écrivains.

> **Principe de créativité:**
> Décidez d'être créatif

Reprenons à l'envers l'énoncé précédent, et nous verrons que cela représente beaucoup mieux la voie vers la créativité. Le bon ordre des choses veut que l'on commence par *être* pour ensuite *faire*, ce qui permet d'*avoir*. Nous devons, en tout premier lieu, décider d'*être* créatif. Ensuite, nous pourrons *faire* les choses que font les personnes douées de créativité, pour ensuite *avoir* ce qu'ont ces personnes. Pour un écrivain, les choses que nous *aurons* sont le talent, la satisfaction et le bonheur que l'on éprouve lorsqu'on a mené à bien un projet qui comportait de nombreux défis.

Ce concept n'est pas nouveau. Le taoïsme prône l'importance d'*être*. La philosophie chinoise classique du taoïsme a été consignée en premier par Lao-tseu, il y a plus de 2 500 ans dans son livre intitulé *Daodejing*. Lao-tseu souligne l'importance du fait que pour être vraiment en vie, il faut d'abord *être*. Lorsque vous aurez maîtrisé l'art d'*être*, *agir* et *avoir* suivront naturellement. Lorsque l'on *est*, on agit, ce qui nous aide à changer et à grandir en tant que personne. Alors, s*oyez* créatif, car vous n'avez pas le choix !

Êtes-vous trop intellectuel pour être créatif ?

Seymour Epstein est un psychologue de l'Université du Massachusetts. Il a découvert que la pensée constructive est indispensable à la réussite de notre vie. La pensée constructive n'a rien à voir avec le Q.I. Elle exige que, dans une situation donnée on agisse plutôt que de se plaindre. Les personnes douées d'une pensée constructive ne prennent pas tout sur elles et ne se soucient pas de l'opinion des autres. La pensée constructive détermine un grand nombre de nos réussites, qu'il s'agisse de notre salaire, de notre avancement, de nos amitiés ou de notre santé physique et psychique.

> Il existe des choses auxquelles seuls les intellectuels sont assez fous de croire.
>
> – George Orwell

Epstein a remarqué que beaucoup de personnes intelligentes et très cultivées ne pensent pas de manière constructive. Elles ont, à la place, de mauvaises habitudes qui les détruisent. Elles reculent devant les nouveaux défis, parce qu'elles n'ont pas de jugeote sur le plan émotif. Epstein a découvert que l'intelligence affective est plus importante que l'intelligence livresque. Les découvertes d'Epstein ne devraient pas étonner bon nombre d'entre nous. Nous sommes déjà conscients du fait que quantité d'individus possédant des doctorats n'ont pas l'esprit créatif, alors que de nombreuses personnes que nous côtoyons possèdent un esprit créatif et ne savent même pas ce qu'est un doctorat.

On pourrait dire, d'une certaine façon, que la pensée créatrice n'est ni plus ni moins que le gros bon sens. C'est la capacité de remettre les choses en question et de poser les actes qui s'imposent. Un doctorat ou une très grande intelligence ne peuvent remplacer l'expérience de la vie combinée au pouvoir de l'imagination. Il a fallu un peu de temps pour que Harry Gale le découvre. Au début de 1995, Gale a été déchu de son poste de président-directeur général de la MENSA, en Grande-Bretagne. La MENSA est un organisme qui regroupe les personnes ayant prouvé à la suite de tests qu'elles ont un quotient intellectuel tellement élevé que seulement deux pour cent de la population mondiale peut se vanter d'en posséder un de ce calibre. À ce qu'il paraît, Harry Gale a finalement été touché par la grâce lorsqu'il a été expulsé de cette organisation élitiste. Il a mis sur pied un organisme similaire qui se nomme Psicorp et recrute ses membres un peu partout. Dans une entrevue qu'il accordait au *Sunday Times* de Londres, Gale a déclaré : « Le bon sens est bien souvent plus important que l'intelligence. »

> *Rien n'est plus énervant qu'une personne qui possède moins d'intelligence et plus de bon sens que nous.*
>
> *– Don Herold*

Pourquoi les gens ne prennent-ils pas la décision de devenir des penseurs constructifs ? Selon moi, cela est dû au fait que, pour devenir des penseurs constructifs, on doit faire des efforts et changer. La plupart des gens résistent à tout ce qui s'appelle « changement ». Lorsque l'on donne aux gens le choix de faire une chose facile ou une chose difficile, la très grande majorité optera pour la facilité. Pourquoi ? Parce qu'un bien-être à court terme a beaucoup plus d'attraits.

Le choix du bien-être est un vrai paradoxe. Lorsqu'on choisit d'éviter les difficultés, on obtient du bien-être à court terme ; cependant, à long terme, il en résultera du désagrément. La majorité d'entre nous doit s'attaquer à des tâches difficiles et réussir pour éprouver un sentiment de réussite et de satisfaction.

Qu'en est-il de la vie facile?

Une des principales raisons du manque de créativité des gens tient au fait qu'ils répugnent à prendre des risques. Ils choisissent la voie qui ne comporte pas de risques parce qu'elle est à coup sûr la plus facile. Nous avons tous tendance à rechercher le bien-être à un moment ou à un autre. En fait, la grande majorité d'entre nous choisit toujours la voie de la facilité. Le problème qui découle de ce choix est qu'à plus ou moins brève échéance cette voie finit par devenir pénible. C'est ce que j'entends par «principe de la vie facile». La figure 3.1 illustre bien cette loi: lorsqu'on choisit la voie facile, la vie devient de plus en plus difficile. Quatre-vingt-dix pour cent de la population opte pour cette voie parce qu'elle procure le bien-être à court terme, ce qui est beaucoup plus attrayant que les difficultés.

Figure 3-1. Le paradoxe de la vie facile

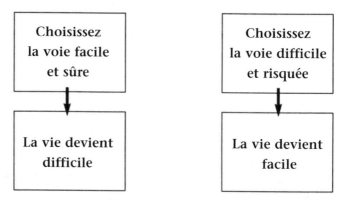

L'autre option consiste à choisir la voie difficile et désagréable. Alors, la vie devient facile. Dix pour cent des individus prennent cette voie parce qu'ils savent qu'ils doivent vivre un inconfort temporaire pour obtenir des gains à long terme. Ils savent également que la concurrence y est moins forte que sur l'autre voie. Le principe de la vie facile a une influence sur chaque partie de notre vie, y compris le travail, les gains financiers, l'amitié, l'amour, la santé, les loisirs et notre bonheur en général.

Ashleigh Brilliant a déclaré: «J'ai abandonné la recherche de la vérité et je suis maintenant en quête de la fantaisie.»

Je suis certain que vous n'avez pas fait le même choix. Il est très important que vous ne vous laissiez pas emballer par les illusions sur la vie. La mauvaise nouvelle, c'est que ce livre ne vous conduira pas à cette terre promise qui se trouve à mi-chemin entre le Nirvana et Shangri-la. Je suis au regret de vous annoncer que la vie est loin d'être une sorte de gala perpétuel.

> *Avant de devenir faciles, toutes les choses sont difficiles.*
> – *Un sage anonyme*

Après vous avoir annoncé ces mauvaises nouvelles, j'en ai une vraiment bonne pour vous : tout le monde, y compris vous, peut faire de sa vie un paradis. Si vous voulez avoir une existence heureuse et fructueuse, vous devrez vous servir du paradoxe de la vie et suivre les principes énoncés dans ce livre.

> *Pour pouvoir contempler un arc-en-ciel, vous devrez d'abord endurer la pluie.*
> – *Dolly Parton*

Vous serez une personne heureuse si vous décidez de vous accommoder au mieux de chaque situation qui se présente, ce qui exigera des efforts et sera difficile à l'occasion. Si vous choisissez la voie facile, restez assis chez vous et blâmez le monde entier, vous vous retrouverez alors sur une voie sans issue. Vous n'obtiendrez de satisfaction à long terme que si vous entreprenez des activités qui présentent des défis et qui, parfois, peuvent s'avérer difficiles. C'est au prix de l'effort et du temps que l'on arrive au but. Si vous n'êtes plus tout jeune, vous devez déjà avoir appris que, dans la vie, on n'obtient rien facilement. Vous devez payer le prix d'un petit désagrément pour tout ce qui pourra améliorer votre bonheur à long terme.

Vous devez être en train de penser la même chose que ce que m'a déclaré une femme au cours de l'un de mes récents séminaires : « Zelinski, mais qui êtes-vous donc ? Un sadique ? Vous ne faites rien d'autre que de m'annoncer des souffrances à venir... » Bien au contraire, ce n'est pas du tout ce que j'annonce. Gardez bien à l'esprit que je ne travaille que quatre à cinq heures par jour, et que j'évite de travailler au cours des mois qui renferment un *r*. Ce n'est pas ce que l'on peut appeler une vie pénible. Je profite de la vie. Pour moi, elle représente un peu plus qu'une chose à faire. Je veux bien subir un petit désagrément de temps en temps si cela doit aboutir à une grosse récompense : le bonheur et la satisfaction personnelle.

N'avez-vous jamais ressenti une euphorie extraordinaire après avoir réussi à accomplir une chose dont vous ne vous croyiez pas être capable et que tout le monde avait déclaré impossible à réaliser? Si vous avez arrêté de fumer, par exemple, je vous parie que cela n'a pas été sans effort de votre part. Mais, en entreprenant cette tâche difficile et désagréable, vous êtes arrivé à une grande satisfaction et à un bonheur durable.

Le bonheur exige des efforts et un engagement. Vous devez devenir responsable de votre vie si vous voulez qu'elle devienne un paradis où vous serez heureux et comblé. Vous avez fait preuve d'un certain sens des responsabilités en lisant une partie du présent ouvrage. Dans son livre *Illusions*, Richard Bach a écrit : «Chaque personne, chaque événement de votre vie sont là parce que vous les avez attirés.» Allons plus loin et disons que vous avez pris une responsabilité et utilisé vos pouvoirs psychiques pour me pousser à écrire ce livre. Eh oui! N'eût été de vous, au moment où j'ai écrit ce livre, j'aurais très bien pu être en train de faire de la bicyclette à Stanley Park à Vancouver, ou de prendre chez Chianti un bon repas arrosé d'une bonne bouteille de vin ou encore boire un café au Bread Garden ou au Starbucks Café en attendant que ma compagne arrive. Toutefois, j'espère que vous me permettrez d'être en vacances au cours des deux ou trois étés qui vont suivre, pour pouvoir faire toutes ces choses agréables avant que vous n'utilisiez vos pouvoirs à nouveau pour me pousser à écrire un autre livre.

> *Nous faisons sur-le-champ ce qui est difficile. L'impossible prendra un peu plus de temps.*
> *– Slogan des Forces armées des États-Unis*

Faites votre promotion ou disparaissez

Mon livre, *L'Art de ne pas travailler*, m'a valu beaucoup de lettres et de coups de fil. Beaucoup des personnes qui me contactent pensent que j'ai trouvé un moyen «cool» de faire d'un livre un succès de librairie. Le paradoxe de la vie facile s'applique également ici.

Je vous fais part un peu plus loin de la réponse que je donne à tous ceux qui communiquent avec moi. La chose essentielle qui y est dite, c'est que pour avoir un best-seller, il faut de la créativité et des efforts. Ces deux éléments sont indispensables non seulement pour écrire, mais aussi pour faire la promotion de ses œuvres. Pour cela, il faut faire ce qui est difficile et désagréable plutôt que ce qui est facile et agréable.

> *Si les gens savaient ce qu'ils devaient faire pour réussir, la plupart d'entre eux s'en abstiendraient.*
> *– Lord Thomson of Fleet*

Cher futur auteur,

Ainsi vous voulez devenir auteur à succès, avec un ou deux best-sellers à votre actif? Contrairement à ce que pense la majorité des gens, je ne possède pas de formule secrète à vous donner. Je peux, cependant, vous donner quelques conseils que je trouve très importants et qui vous aideront peut-être à faire de votre livre un succès de librairie.

Premièrement et avant tout, si vous désirez écrire un livre pour atteindre la gloire et la richesse, rendez-vous service et commencez immédiatement à entreprendre un autre projet. Écrire un livre et en faire un succès de librairie est beaucoup plus difficile que d'obtenir une licence, puis une maîtrise, et de couronner le tout avec un doctorat pour ensuite trouver un emploi (quand on connaît la difficulté que l'on a de nos jours à en trouver un). Vous ne me croyez pas? Gardez à l'esprit qu'il existe beaucoup plus de détenteurs de doctorats que de person-nes qui ont écrit des livres à succès. De plus, s'il était si facile d'écrire un best-seller, tout le monde le ferait. Au cas où vous ne l'auriez pas encore remarqué, 99 pour cent des gens emprun-tent la voie de la facilité. Voilà exactement pourquoi ils n'écri-ront jamais de best-seller.

Voici un deuxième test très important: Pouvez-vous survivre à un échec et trouver une motivation dans les critiques et le rejet? Lorsqu'on écrit un livre, on doit être capable d'accepter et de se glorifier de ses échecs. Écrire et faire la promotion d'un livre exigera que vous soyez en mesure non seulement de supporter, mais – et c'est encore plus important – d'être motivé par les critiques et le rejet. Ainsi, quand j'ai appris que mon livre *L'Art de ne pas travailler* faisait partie d'une liste de livres qui n'allaient pas être couverts par les critiques du *Globe & Mail*, cela m'a poussé à leur prouver que mon livre allait se vendre mieux que 99 pour cent des ouvrages qu'ils avaient daigné mentionner dans leurs chroniques.

Si vous avez réussi les deux tests précédents, il y a de l'espoir pour vous. Sortez acheter tous les livres qui existent sur l'écri-ture, l'édition et la mise en marché des livres, et lisez-les. (Vous avez dû remarquer que j'ai dit *d'acheter* ces livres, et non de les emprunter. Si vous n'achetez pas les livres écrits par d'autres auteurs, comment pouvez-vous vous attendre à ce que quelqu'un achète le vôtre?)

Vous devez ensuite choisir le sujet de votre ouvrage. La chose la plus importante, ici, c'est d'en choisir un pour lequel existe un marché. Vous devez vous demander, en tout premier: «Qui donc voudra acheter mon livre?» Et votre réponse a intérêt à être la bonne.

Ce n'est pas parce que vous pensez que le sujet choisi doit intéresser du monde qu'il y aura un marché pour votre livre. Ne tombez pas dans le piège que tous ces gens (y compris les plus grandes maisons d'édition) publient en ayant une idée préconçue de ce que les autres doivent lire. Votre opinion de ce qui est ou devrait être important n'a pas sa place ici. Ce sont les personnes qui achètent les livres qui décident de ce qui les intéresse. C'est comme cela que cela doit être, puisqu'il s'agit de *leur* argent.

Après avoir fini d'écrire votre livre et l'avoir fait publier, vous n'aurez dépensé que cinq pour cent des efforts qu'il faut entreprendre pour en faire un livre à succès. Que votre livre soit publié à compte d'auteur ou par un éditeur de renom, vous devrez en faire la promotion. Vous avez beau avoir un excellent produit, si vous ne faites pas sa mise en marché comme il faut, le résultat sera le même que si vous aviez un mauvais produit. La meilleure façon de promouvoir son livre, c'est de s'en occuper soi-même au lieu de laisser ce travail à l'éditeur, aux maisons de distribution et aux librairies. Dans le monde universitaire, le dicton dit: «Publiez ou disparaissez.» Dans le monde de l'édition, il faut dire: «Publiez et faites votre promotion, ou disparaissez.»

> La chance se cache souvent derrière un travail ardu, c'est pour cela que la majorité des gens ne la voient pas
>
> – Ann Landers

La créativité est essentielle pour écrire un bon livre. La promotion efficace d'un livre demande dix fois plus de créativité. J'ai écrit *L'Art de ne pas travailler*, il y a cinq ans, et je continue d'en faire la promotion avec la même créativité et le même effort que lors de sa parution. D'ailleurs, je continuerai à le faire au cours des deux prochaines années.

Autre point très important: vous devez commencer par agir. Toutes vos connaissances théoriques ne vous serviront à rien si vous ne les mettez pas en pratique.

En tout dernier lieu, je pourrais vous souhaiter bonne chance, mais je ne le ferai pas: ce n'est pas la chance qui vous mènera là où vous voulez aller mais votre propre motivation, votre créativité et votre détermination.

Bien à vous,

Ernie J. Zelinski

Ne payez pas le prix :
octroyez-vous *des* prix

Je dois vous avertir : le paradoxe de la vie facile ressemble un peu à la loi de la gravité. Essayez donc de défier celle-ci en sautant du toit d'un immeuble, et l'atterrissage sera dur. La même chose s'applique au paradoxe de la vie facile. Défiez-le en choisissant la voie de la facilité et vous finirez de la même façon. La vie est ainsi faite. Ce n'est pas moi qui ai inventé la règle du jeu. Je n'ai fait qu'observer ce qui se passait dans la vie, et c'est à nous d'en tirer le meilleur parti possible.

> Si seulement les gens savaient combien j'ai travaillé dur pour maîtriser mon art, ils verraient qu'il n'est pas aussi merveilleux qu'ils le croient.
>
> – Michel-Ange

Les désagréments que nous devons affronter en faisant ce qui est nécessaire pour réussir sont les principaux obstacles à cette réussite. Comme tous les êtres humains, nous préférons tout ce qui offre le moins de désagréments et le plus de bien-être. La majorité d'entre nous opte pour la voie de la facilité parce que nous recherchons le bien-être à tout prix. Les routes les plus achalandées sont souvent remplies d'ornières.

Si nous choisissons la voie de la facilité, nous finirons dans une ou plusieurs de ces ornières. La seule différence entre une ornière et une tombe, c'est la dimension. En tombant dans une ornière, vous allez rejoindre les « morts-vivants », et en tombant dans une tombe les « morts vraiment morts ».

Tout a un prix dans la vie. Beaucoup de personnes préfèrent ne rien faire, car au moment où elles optent pour l'inaction, cela leur paraît être ce qu'il y a de plus facile. Elles se privent elles-mêmes d'une grosse récompense. Suivez mon conseil et ne faites pas partie de la vaste majorité qui choisit le bien-être au détriment de l'œuvre accomplie et de la satisfaction. Les vraies récompenses ne viennent à nous que lorsque nous sommes prêts à faire les choses difficiles et désagréables, et décider de faire preuve de créativité est l'une d'elles.

Il y a un prix à payer pour faire l'effort d'être créatif, tout comme il y a un prix à payer pour tout ce qui a une valeur sur cette terre. Mais, plutôt que de voir le prix à payer, examinons les nombreux prix que nous pourrons nous octroyer : une meilleure estime de soi, une satisfaction accrue, une augmentation de notre bonheur et une plus grande paix de l'esprit.

En vérité, tout cela compensera largement le prix à payer. La créativité implique que l'on accomplisse ce qui est difficile et désagréable et que l'on en tire une récompense beaucoup plus grande et satisfaisante que si l'on s'était contenté de faire ce qui est facile et agréable.

CHAPITRE 4

101 FAÇONS DE PLUMER UN CANARD OU DE FAIRE À PEU PRÈS N'IMPORTE QUOI

La « bonne réponse » pourrait vous placer sur la mauvaise voie

Commençons ce chapitre en faisant les deux exercices suivants.

Exercice 4.1

La brasserie Big Rock, de Calgary, n'avait pas les moyens de s'offrir le battage publicitaire traditionnel que peuvent se payer les grandes brasseries du Canada et des États-Unis pour commercialiser leurs bières. Big Rock a tout de même réussi à lancer ses produits avec beaucoup de succès et ses ventes ont augmenté, alors que les grandes brasseries canadiennes essayent de consolider leurs bénéfices et doivent se débattre dans un marché qui va en s'amenuisant.

Comment auriez-vous abordé le problème que pose l'impécuniosité d'une petite brasserie qui veut faire connaître ses nouveaux produits dans un marché concurrentiel et en baisse ?

> Quelle est la réponse ?
> [Silence]
> Bon, alors, quelle est la question ?
> – Gertrude Stein

Exercice 4.2

Quelle paire de ciseaux est différente de toutes les autres?

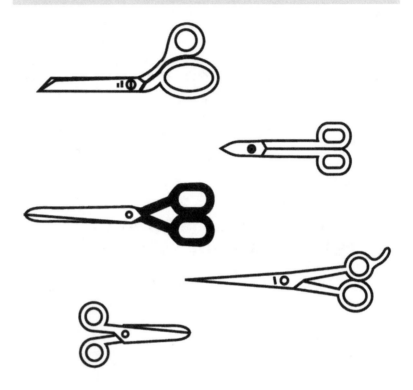

Un Nord-Américain et un Européen avaient une conversation animée sur les joies que nous procure la vie, lorsque l'Européen se vanta de connaître plus de cent manières de faire l'amour. Le Nord-Américain en fut fortement impressionné. Il annonça à l'Européen que, pour sa part, il n'en connaissait qu'une. L'Européen lui demanda laquelle c'était. Le Nord-Américain lui décrivit la manière la plus conventionnelle et la plus connue qui soit. L'Européen répondit alors à l'Américain: «C'est fantastique! Je n'y avais jamais pensé! Merci! Maintenant, j'en connais 101!»

Agissez-vous comme le Nord-Américain ou comme l'Européen quand il s'agit de résoudre des problèmes? Trouvez-vous une réponse ou de nombreuses réponses à vos problèmes? Nous connaissons tous le célèbre proverbe qui dit qu'il y a plus de cent façons

Il m'est déjà arrivé de faire l'amour pendant une heure et quart.

Cela s'est produit la nuit où l'on a avancé l'heure...
– Garry Shandling

de plumer un canard. Cependant, si nous devions plumer ce volatile, combien d'entre nous seraient à la recherche de nouvelles façons de nous acquitter de cette corvée?

La plupart d'entre nous sont capables de trouver une manière d'accomplir la plupart des tâches que nous avons à faire. Lorsque cette manière ne fonctionne pas bien, nous nous obstinons à l'utiliser et trouvons quelqu'un ou quelque chose à blâmer lorsque la situation devient insupportable. Nous ne cherchons pas d'autres solutions. Une autre solution pourrait être plus rapide, plus efficace et moins coûteuse. En dernier, et c'est là le plus important, cette solution pourrait être beaucoup plus amusante. Demandez donc à l'Européen ce qu'il en pense, si jamais vous le rencontrez!

Revenons à l'exercice 4.1. Vous êtes-vous contenté de chercher une seule solution pour résoudre le problème? Avez-vous arrêté votre recherche après en avoir découvert une? En avez-vous trouvé d'autres?

La façon dont la brasserie Big Rock s'est occupée du problème n'est pas la seule. (Voir les notes de chapitre, page 71.) De nombreuses solutions existent. La direction de l'entreprise aurait pu emprunter de l'argent pour organiser sa campagne publicitaire. Elle aurait pu émettre des actions pour augmenter ses liquidités et en faire bénéficier la publicité. Elle aurait pu s'associer avec une autre brasserie, et entreprendre une campagne publicitaire en offrant des activités originales. Le nombre de solutions possibles est illimité.

> Il existe neuf manières de faire des œufs pochés, et chacune d'elles est pire que la précédente.
>
> – Robert Lynd

L'exercice 4.2 nous montre de façon plus évidente comment nous abordons les problèmes. Avez-vous fait comme neuf personnes sur dix, c'est-à-dire que vous n'avez pas vu ce qui était évident? Quatre-vingt-dix pour cent des personnes qui participent à mes séminaires finissent par choisir une des cinq paires de ciseaux. Et tout le monde a raison, jusqu'à un certain point. Cependant, la plupart des participants laissent de côté la chose principale: toutes les paires de ciseaux sont différentes les unes des autres...

Cet exercice nous montre bien de quelle façon le système d'enseignement nous a conditionnés pour que nous soyons toujours automatiquement à la recherche de la «bonne» réponse ou d'une seule façon d'accomplir ce qui nous est demandé. À force d'agir ainsi, nous sommes devenus prisonniers des structures de notre façon de penser et nous avons tendance à ne pas rechercher d'autres «bonnes réponses.» Moralité : lorsque l'unique réponse que nous avons est mauvaise, nous sommes perdus.

Un des plus grands principes de la créativité est qu'il y a au moins deux solutions à chaque problème. Il existe deux exceptions à la règle : les maths sont la première ; ainsi, la moitié de treize n'a qu'une solution. (Vous verrez au chapitre 9 que même ce problème peut avoir plus d'une solution.) En mathématiques, la plupart des problèmes n'ont qu'une seule solution. La deuxième exception à cette règle se manifestera au moment de notre mort, car, à ce moment-là, il n'y aura plus d'autre solution. De façon générale, les problèmes auxquels nous sommes confrontés au cours de notre existence comportent deux ou plusieurs solutions.

Les occasions que nous offre la vie vont plus loin que ce qui est disponible ou évident. Que devons-nous faire pour créer de nouvelles solutions ? Il est tout d'abord essentiel que nous abandonnions ce que nous savons déjà et que nous nous mettions au point mort. Oui, nous devons recommencer à partir de rien, car c'est du néant que jaillissent les grandes occasions. C'est au moment où nous abandonnerons toutes les anciennes solutions et nos anciennes habitudes de raisonnement que nous repartirons sur une bonne base à partir de laquelle nous pourrons créer.

Cassez-moi ça avant que quelqu'un le fasse à votre place

Rechercher de nouvelles options exige des efforts. Il est plus facile de chercher des solutions de remplacement lorsque nous ne sommes pas satisfaits de celles que nous possédons

Principe de créativité :

Décidez d'être créatif

déjà. Il est cependant très important de continuer à chercher d'autres pistes de solutions, même lorsque celles que nous possédons nous plaisent. Nous devons prendre soin de ne pas nous limiter à nos premières découvertes. Nous devons nous forcer à continuer à chercher des solutions supplémentaires, même si celles que nous possédons nous donnent satisfaction. Il s'agit en fait d'un excellent exercice.

Il importe de s'efforcer d'obtenir de meilleures solutions et des solutions de rechange, même si tout paraît aller pour le mieux. Il y a trois avantages à tirer de cette recherche de solutions nouvelles, même lorsque nous en tenons une bonne.

- Cela nous donnera l'assurance que nous ne sommes pas passés à côté d'une solution qui aurait pu se révéler meilleure que les autres, car celle que nous utilisons n'est peut-être pas optimale.

- Toutes les bonnes choses ont une fin. Les personnes qui créent d'autres possibilités quand tout va pour le mieux ont de nombreuses solutions de rechange à leur disposition, lorsque celles qu'elles utilisent ne fonctionnent plus à cause des circonstances extérieures toujours en évolution.

- Les personnes qui persistent à chercher des solutions de rechange, qu'elles en aient besoin ou pas, gardent leur talent créatif intact pour le jour où elles en auront vraiment besoin.

Le vieil adage selon lequel « si quelque chose fonctionne, il est inutile d'y toucher » n'a plus sa place à notre époque. Même si cela fonctionne bien, il est certain que ce ne sera pas pour très longtemps dans notre monde en mutation, où la seule chose qui ne change pas est le changement. La capacité de créer de nombreuses solutions nous permet de réagir de façon beaucoup plus efficace en cas de panne.

Dans leur livre, *If it ain't broke... BREAK IT!* (Si ce n'est pas cassé, CASSEZ-LE!), Robert J. Kriegel et Louis Patler vont jusqu'à dire que l'on doit briser la formule avant qu'elle ne se casse toute seule ou que quelqu'un d'autre ne la malmène. Suivre la philosophie de Kriegel et de Patler vous aidera à être créatif et vous placera en avance sur les 99 pour cent de la population qui se contente d'attendre que les choses se cassent pour les réparer.

> La définition de la folie, c'est de faire et de refaire toujours les mêmes choses et de s'attendre à obtenir des résultats différents à chaque reprise.
>
> *– Un sage anonyme*

Des exercices qui vous motiveront à continuer à chercher encore et encore

Exercice 4.3 – Une orgie de triangles

Le diagramme qui suit est une construction tridimensionnelle. Vous devez tout simplement compter le nombre de triangles dans ce diagramme. (Rendez-vous aux notes de chapitre, page 72, lorsque vous aurez terminé.)

Si cela fonctionne, c'est dépassé.

– Marshall McLuhan

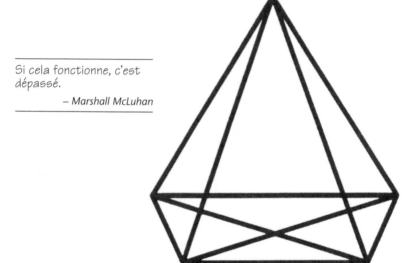

Exercice 4.4 – Jouons avec des allumettes

Pour nous préparer au prochain chapitre, essayons de faire un autre genre d'exercice.

Supposons que les deux prochaines équations sont réalisées avec des allumettes. Chaque trait du chiffre est une allumette. Telles que nous les voyons, les deux équations sont fausses. Pouvez-vous, en ne bougeant qu'une seule allumette, faire en sorte que ces deux équations soient correctes? Commencez avec (a) et n'avancez à (b) que lorsque vous aurez terminé (a). (Voir les notes de fin de chapitre, page 72, lorsque vous aurez terminé.)

(a)

(b)

Exercice 4.5 – Un contingent de nouvelles idées

Faites régulièrement cet exercice. Fixez-vous comme objectif de créer chaque jour trois nouvelles solutions à vos problèmes ou à vos projets.

> Je me moque totalement de tout homme qui ne peut épeler un mot que d'une seule manière.
>
> – *Mark Twain*

Notes de chapitre

Exercice 4.1

La brasserie Big Rock avait misé sur l'énorme marché californien pour lancer ses bières aux noms peu orthodoxes comme *Buzzard Breath* (Haleine d'urubu), *Warthog Ale* (la bière du phacochère), *Albino Rhino* (le rhinocéros albinos). Au moment où j'écrivais ce livre, Big Rock lançait une nouvelle bière qui se nommait *Grasshopper Ale* (la bière de la sauterelle). Une bonne partie du succès de Big Rock est attribuable aux noms bizarres qui ont été donnés aux produits. Comme aime à le répéter Bill Gibbs, de Claymore Beverage, le distributeur de Big Rock : « La bière du phacochère vous charge du haut de son étagère. » Cinglé ? Peut-être, mais ça marche !

> Dans la république des médiocres, le génie est dangereux.
>
> – *Robert Ingersoll*

Dans ce marché de pointe, Big Rock a établi sa crédibilité dans les restaurants snobs en ciblant les troupes de théâtre, de ballet ou d'opéra, ainsi que des groupes de musique folks plutôt qu'en visant les buveurs traditionnels des grandes brasseries. La brasserie Big Rock vend sa caisse de bière 15 dollars, tandis que les grandes brasseries vendent les leurs entre 10 et 12 dollars.

Exercice 4.2

Les ciseaux sont tous différents les uns des autres.

Exercice 4.3

La majorité des gens voient moins de vingt-cinq triangles. Si vous regardez comme il faut, vous en trouverez trente-cinq.

Exercice 4.4

Êtes-vous passé directement à *b* après n'avoir trouvé qu'une seule solution pour *a*? Ces deux exercices sont un test pour voir si vous avez maîtrisé le principe voulant qu'il existe plusieurs solutions à un problème. Vous remarquerez combien il est facile de s'arrêter après n'avoir trouvé qu'une seule solution. Si vous n'avez pas trouvé au moins trois solutions aux deux exercices, vous faites partie de la grande majorité. Retournez aux exercices et cherchez à nouveau. (L'exercice *a* comporte au moins trois solutions. Si, un jour, vous participez à un de mes séminaires, je vous donnerai plusieurs solutions à tout casser à l'exercice *a*, que seule une personne sur mille est capable de percevoir. L'exercice *b* comporte plus de dix solutions. Allez à l'annexe, page 260, pour découvrir certaines solutions de mon cru.)

CHAPITRE 5

LA MÉMOIRE EST UNE FACULTÉ QUI OUBLIE

Votre mémoire photographique manque-t-elle de pellicule?

Votre mémoire est-elle bonne? Le but de ce chapitre est de vous souligner l'importance de consigner vos idées par écrit. Nous avons tendance à éviter de noter nos idées, car nous croyons que nous nous en souviendrons plus tard. C'est une erreur, car lorsqu'il s'agit de se remémorer nos pensées, nous ne sommes pas aussi efficaces que nous le croyons.

Les exercices suivants vont vous le démontrer.

Exercice 5.1

Faites le dessin d'un téléphone non numérique, c'est-à-dire un vieil appareil à cadran et non un téléphone à touches. Dessinez tous les emplacements des doigts et mémorisez la position de toutes les lettres et de tous les chiffres. Il s'agit d'une chose que vous avez vue des milliers de fois. Vous ne devriez donc avoir aucun mal à vous en souvenir, n'est-ce pas?

Au cas où vous vous penseriez être trop vieux (ou trop jeune) pour recréer de mémoire un téléphone à cadran, reprenez l'exercice en dessinant un téléphone à clavier. Essayez de vous souvenir des chiffres et des lettres qui se trouvent sur les différents boutons.

J'ai toujours eu du mal à me souvenir de trois choses: les visages, les noms et... je ne me souviens plus de la troisième.

– Fred Allen

Allez maintenant à la fin de ce chapitre (page 82) pour connaître votre niveau de réussite. Vous faites définitivement partie de la majorité si vous n'avez pas réussi à reproduire le dessin de l'un ou de l'autre cadran. La plupart d'entre nous éprouvent de la difficulté à nous rappeler à quoi ressemblait l'un ou l'autre des cadrans. Passons à un autre exercice.

Exercice 5.2 – Souvenirs d'un hold-up

Vous souvenez-vous du dessin des deux voleurs, dans le chapitre 2? Tenez pour acquis que vous avez été témoin de cette tentative de vol et que la police vous demande d'identifier les malandrins. Sans regarder de nouveau le dessin de la page 41, essayez de choisir les deux personnages qui ont essayé de voler la créativité du quidam (qui n'en avait plus) parmi les douze visages patibulaires de l'illustration ci-dessous.

Certains d'entre vous s'inquiéteront peut-être à l'idée que leur mémoire a flanché en vieillissant. Pas vraiment. Observez les enfants. Demandez à un professeur si les enfants oublient des choses à l'école. Le professeur va vous établir une liste d'articles : manteaux, sacs à collations, gants, livres, peignes, crayons, stylos, et bien d'autres choses. Tout comme pour nous, ce n'est pas à cause de leur âge que les enfants oublient, mais de toutes les distractions qui se produisent dans notre vie.

> *Je n'oublie jamais un visage, mais, dans votre cas, je ferai une exception.*
> – Groucho Marx

John McCrone a déclaré, dans le numéro de mars 1994 du *New Scientist* : « Vous aurez oublié presque tout ce que vous avez fait aujourd'hui dans deux semaines. Notre capacité à nous souvenir se détériore de façon exponentielle et, au bout d'un mois seulement, plus de 85 pour cent de nos expériences auront disparu pour toujours, à moins que leur souvenir n'ait été ravivé par un élément extérieur comme un journal intime ou des photos. »

Il n'est pas vraiment grave d'oublier la configuration d'un cadran de téléphone ou les trognes des voleurs dans un dessin humoristique. Cependant, si nous oublions les bonnes idées susceptibles de nous aider à régler nos problèmes, cela pourrait nous priver de solutions extraordinaires. Bref, nous oublions facilement les idées que nous avons. L'exercice 5.3 vous le prouvera.

Exercice 5.3 – Pensez à vos pensées passées

Écrivez les pensées qui vous ont traversé l'esprit il y a une semaine, exactement au même moment de la journée. Ensuite, notez toutes les bonnes idées que vous avez eues pour résoudre vos problèmes, ceux de quelqu'un d'autre ou ceux de la société, au cours de la semaine qui vient de s'écouler.

Avez-vous réussi ? Comment pouvez-vous être sûr de ne pas avoir perdu quelque solution hors du commun si vous ne vous souvenez même pas de ce que vous avez pensé il y a une semaine ? Et que dire de toutes les idées que vous avez eues au cours de cette période ? Il est bien possible que vous en ayez eu d'excellentes que vous n'avez pas notées, et que vous avez oubliées depuis.

> *Principe de créativité :*
> Notez toutes vos idées

Certaines grandes entreprises ont posé des calepins et des stylos dans les vestiaires des gymnases de leurs établissements. Cette initiative a pour but d'amener les employés à noter toutes les idées qu'ils peuvent avoir pendant qu'ils font des exercices ou qu'ils sont sous la douche. Il existe une bonne raison à cela : en effet, les bonnes idées surgissent souvent pendant que l'on fait de l'exercice et semblent générées par l'état second provoqué par ce dernier. Les entreprises veulent s'assurer que toutes les idées puissent être notées immédiatement afin qu'elles ne disparaissent pas avec le temps.

Si nous ne notons pas immédiatement nos idées, nous risquons de ne pas nous en souvenir par la suite. Notre état d'esprit changeant fait que nous perdons nos idées quelque temps après qu'elles ont été conçues. Notre cerveau est malmené par tout ce qu'il a emmagasiné comme souvenirs au cours d'une journée normale. La dernière chose qui nous vient à l'esprit, lorsque nous sommes absorbés par une chose reliée à notre vie professionnelle ou à notre vie privée, est certainement la bonne idée que nous avons eue deux jours plus tôt en prenant notre douche.

Faites ce dernier exercice pour être vraiment convaincu de l'importance de noter par écrit toutes vos idées et toutes les solutions que vous aurez trouvées. Lorsque vous travaillez à un projet particulier, écrivez toutes vos idées et rangez-les dans un dossier. Montrez-vous très discipliné dans cette pratique. N'oubliez aucun détail. Faites cela pendant deux semaines d'affilée, sans ouvrir le fameux dossier. À la fin de ces deux semaines, essayez de vous rappeler son contenu. Ensuite, ouvrez le dossier et comparez les résultats. Vous serez surpris de voir le nombre d'idées que vous aurez oubliées.

Faites croître un arbre à idées

Vous pouvez noter vos idées, vos réponses et vos solutions à un problème donné de bien des façons différentes. Vous pouvez dresser une liste, utiliser des phrases ou écrire un traité. Tout est possible. Cependant, il existe un meilleur outil pour vous aider à vous souvenir de vos idées. Celui-ci est particulièrement utile pour résoudre un problème ou pour travailler sur un projet lorsque l'on en est à l'étape initiale.

Finalement, j'ai trouvé la solution et, par la suite, j'ai oublié où je l'ai mise.

– Un sage anonyme

Cet outil s'appelle l'arbre à idées. Il est également connu sous le nom de « carte de l'esprit », de « diagramme échelonné», de «réseau de la pensée» et de «diagramme par regroupement». L'arbre à idées est à la fois simple et très puissant. Il est surprenant que personne ne nous ait montré comment l'utiliser quand nous étions à l'école. C'est un serveur dans un restaurant qui m'en a parlé pour la première fois.

Voici comment l'on construit un arbre à idées. Il faut commencer au centre de la page. On y écrit le but, le thème ou le motif de son idée. Par exemple, si vous voulez construire un tel arbre pour trouver les façons de commercialiser votre livre sur la gestion, suivez le modèle à la figure 5.1.

Vous tirez ensuite des lignes verticales du centre de la page vers les côtés extérieurs et vous notez sur ces lignes toutes les idées qui vous viennent à l'esprit à propos de votre projet. Les idées principales sont inscrites sur des lignes à part, près du centre de la page. Des traits secondaires sont ensuite tirés à partir des premières lignes. C'est là que sont inscrites les idées secondaires découlant de chaque idée principale. Par la suite, on peut tirer des traits à partir des branches secondaires, ce qui nous donnera une autre sous-catégorie d'idées.

Figure 5-1. Un arbre à idées pour commercialiser
un livre sur la gestion d'entreprise

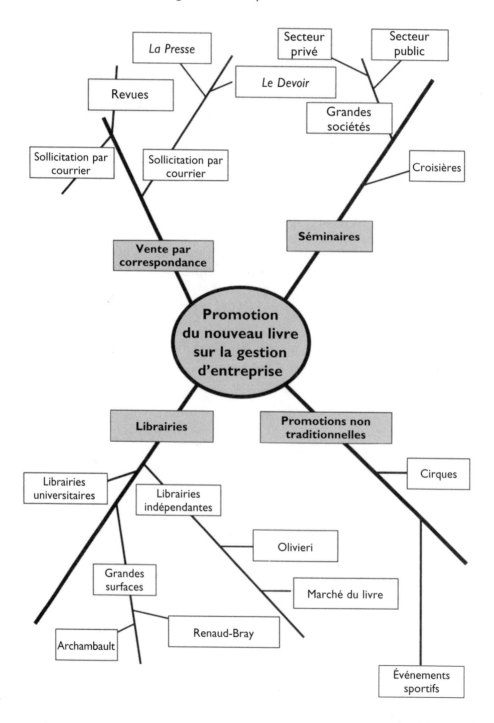

La première idée qui nous vient à l'esprit lorsqu'il s'agit de lancer sur le marché un nouveau livre sur la gestion d'entreprise, est de passer par des librairies. Le mot «librairies» est donc inscrit comme l'une des premières idées, sur l'arbre de la figure 5.1. Puis, les idées secondaires sont ajoutées pour spécifier quels genres de librairies sont ciblés. Les librairies qui comptent des succursales, les librairies universitaires et les librairies indépendantes sont inscrites au deuxième niveau des idées. Une troisième ligne d'idées vient ensuite pour spécifier le nom des librairies à succursales multiples. C'est là que nous avons inscrit les noms des librairies Archambault, ainsi que celles appartenant à la chaîne Renaud-Bray. D'autres niveaux d'idées peuvent être ajoutés, suivant les besoins.

> L'être humain aurait tout intérêt à avoir toujours sur lui un crayon et du papier pour noter les idées qui lui passent par la tête. Celles qui surgissent spontanément sont souvent les plus précieuses et doivent être conservées à tout prix, car, très souvent, elles disparaissent sans jamais revenir.
>
> – *Francis Bacon*

Cet outil est très puissant. Il permet d'engendrer rapidement des idées nouvelles. Le concept de l'arbre à idées est un outil qui sert à des fins personnelles, ce qui n'empêche pas que des groupes puissent l'utiliser, car il peut être adapté sans problèmes. Examinons les raisons qui font de l'arbre à idées un outil indispensable pour générer des idées.

Les avantages de l'arbre à idées

- Il ne prend pas de place. La plupart des idées peuvent tenir sur une page. On peut toujours les détailler sur des pages supplémentaires.

- Les idées sont classées selon des catégories. Cela facilite le regroupement de celles-ci.

- La personne qui a créé un arbre à idées peut se promener à travers ses rameaux pour en engendrer beaucoup de nouvelles. Cela fonctionne de la même façon que dans les séances de remue-méninges.

- Il s'agit d'un outil durable. Après l'avoir mis de côté pendant un jour ou une semaine, une personne peut le reprendre et produire de nouvelles idées.

Les arbres à idées ne sont pas seulement utiles pour favoriser l'activité de l'hémisphère droit du cerveau, qui nous permet de trouver rapidement des idées nouvelles. Nous les utilisons aussi pour mieux nous connaître et aller à la découverte de nous-même, en regroupant des réflexions qui portent, par exemple, sur nos relations avec l'argent.

Les activités de l'hémisphère gauche comme la planification et l'organisation s'accordent à merveille avec le principe de l'arbre à idées. La planification à court ou à long terme, la programmation, les préparations de discours, les objectifs à atteindre et les notes de cours peuvent être générées grâce à cet outil fort utile.

Figure 5.2 – Un arbre à idées illustré pour planifier un long week-end

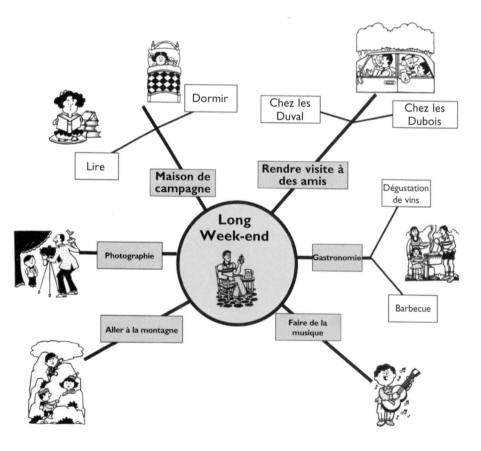

La figure 5.2 montre un arbre à idées un peu plus élaboré, car on utilise des images pour augmenter la créativité et la mémoire. Nous pouvons ajouter de la couleur, pour ajouter un aspect plus saisissant à notre arbre.

Construire un arbre à idées demande un peu plus de travail que d'établir une liste quelconque; cependant, ce petit travail supplémentaire en vaut bien la peine. Rappelez-vous le paradoxe de la vie facile abordé au chapitre 3. En fournissant l'effort nécessaire pour construire cet outil qui est un peu difficile et qui représente un défi, vous vous apercevrez qu'à longue échéance ce sera plus facile que si vous aviez dressé une simple liste ou que si vous n'aviez... rien fait du tout.

Quels personnages importants ont-ils déjà eu recours à l'arbre à idées? Des créateurs comme Albert Einstein, Léonard de Vinci, Thomas Jefferson, John F. Kennedy et Thomas Edison. Je pense qu'il s'agit d'un groupe de personnes auquel il ne vous déplaira pas d'être associé.

Notes de chapitre

Exercice 5.1

Il n'y a pas une personne sur mille qui ait réussi cet exercice au cours de mes séminaires. Vous remarquerez qu'il y a beaucoup de choses qui vous ont échappé au sujet du cadran téléphonique, bien que vous l'ayez vu de nombreuses fois. Il existait des choses évidentes que vous n'avez pas remarquées. Pourquoi ? Parce que vous n'avez jamais fait l'effort d'observer le cadran d'un téléphone. De la même façon, de nombreuses solutions à nos problèmes sont évidentes. Nous ne les voyons pas parce que nous ne savons pas regarder.

a) Le « 1 » n'est accompagné d'aucune lettre.

b) Le Q et le Z ne sont pas utilisés.

c) Les lettres ABC, DEF, GHI et JKL vont dans le sens des aiguilles d'une montre. Les autres séries de trois lettres vont dans le sens contraire des aiguilles d'une montre.

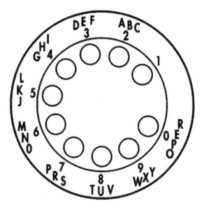

Comme vous pouvez le constater, la disposition des lettres sur les touches d'un téléphone à clavier n'est pas plus facile à se rappeler.

CHAPITRE 6

DES AVANTAGES DE BOIRE AU TRAVAIL

Un vélo conçu par un psychopathe ?

La meilleure façon de vous faire comprendre l'importance de ce que j'explique dans ce chapitre est de commencer par un exercice.

Exercice 6.1

Vous avez été engagé en tant que consultant par un fabricant de bicyclettes très important. Votre travail consiste à évaluer les avantages des nouveaux modèles de bicyclettes que les inventeurs soumettent à la production. L'entreprise a demandé que l'on conçoive un nouveau tandem.

L'une des conceptions que l'entreprise a reçues est représentée sur le schéma que j'ai tracé plus haut. Bien que je sois diplômé en génie électrique, j'ai décidé que je pouvais faire les plans de quelque chose de mécanique. (D'accord, je vous ai peut-être impressionné.)

Notez les caractéristiques les plus importantes de mon plan pour ce tandem nouvelle vague. Faites ensuite un rapport que vous enverrez à l'entreprise. Soyez honnête dans votre évaluation et n'ayez pas peur de froisser ma susceptibilité.

Examinons donc le plan de ma bicyclette à l'exercice 6.1. Quels sont les points qui vous ont le plus marqué et que vous voulez inclure dans votre rapport? Allez-vous seulement présenter des points négatifs? Si vous n'avez pas noté les points positifs, les points négatifs et ceux qui ne sont ni positifs ni négatifs, vous avez sauté un peu vite aux conclusions au sujet de mon «merveilleux projet», vous avez jugé trop rapidement. Le tribunal de votre jugement (TVJ) s'est fait entendre prématurément.

C'est de l'expérience que viennent les bons jugements. C'est des mauvais jugements que nous vient l'expérience.

– Un sage anonyme

Vous auriez dû considérer certains points positifs comme le fait que la roue arrière peut être utilisée comme roue de secours pour la roue avant, au cas où celle-ci crèverait. Avez-vous pu également imaginer que le trajet à parcourir serait plus confortable du fait qu'il y a deux roues à l'arrière? Cette bicyclette a un avantage certain sur les bicyclettes conventionnelles: elle peut transporter des charges plus importantes. Elle est géniale pour les personnes corpulentes. Des originaux ou des snobs voudront peut-être l'acheter parce qu'elle représente un signe extérieur de richesse ou encore qu'elle fait montre d'une conception tout à fait nouvelle.

Les points négatifs seraient qu'elle peut être difficile à utiliser. La roue occasionne un surplus de poids; l'allure de ce vélo est ridicule. De plus, n'y a pas de deuxième selle pour la personne supplémentaire.

On peut soulever énormément de points, négatifs ou positifs, en ce qui concerne sa conception. Dans le but d'explorer à fond tous les mérites de cette étrange bicyclette, nous devons noter et évaluer tous ses aspects. Alors seulement nous pourrons porter un jugement honnête sur les mérites de cette nouvelle conception vélocipédique.

Exercice 6.2

Vous êtes le propriétaire d'une agence de publicité de taille moyenne. Votre entreprise, pour survivre dans notre monde compétitif, est à la recherche de nouveaux marchés et de nouvelles perspectives. Il y a deux semaines, vous avez fait installer une boîte pour encourager vos employés à y déposer leurs nouvelles idées. Vous êtes en train de passer en revue les dernières suggestions qui vous y ont été déposées et vous en découvrez une qui vous paraît particulière. Elle dit ceci: «Les nouveaux dépliants publicitaires sont tout juste bons pour les toilettes.»

Qu'allez-vous faire de cette suggestion ?

1. Vous pensez qu'il s'agit d'une plaisanterie, riez un bon coup et la jetez à la corbeille.
2. Vous pensez que l'idée est sérieuse, mais que son auteur est fou.
3. Vous pensez que cela signifie que les derniers dépliants publicitaires ne valent rien.
4. Vous pensez que l'idée peut avoir quelque mérite et qu'elle est sérieuse.

N'anéantissez pas vos idées en les soumettant trop rapidement au TVJ

Le tribunal de votre jugement (TVJ) peut avoir influencé votre choix de réponse à l'exercice 6.2. Avez-vous décidé de ne pas prêter attention ou d'éliminer la possibilité de placer les dépliants dans les toilettes parce qu'à vos yeux il ne s'agit pas d'un bon endroit pour faire de la publicité ? Au cas où vous penseriez cela, réfléchissez de nouveau. Un chef d'entreprise américain fait un chiffre d'affaires de plusieurs millions de dollars par année, en vendant des espaces publicitaires dans les toilettes de lieux d'affaires ou d'avions. L'idée a germé dans son esprit le jour où, après avoir laissé traîner des circulaires dans ces prosaïques lieux d'aisance, il a commencé à obtenir des réactions. Un des grands avantages de ce genre d'endroit est que le public y est beaucoup plus captif qu'ailleurs. Si vous n'avez pas pris en considération ce support publicitaire, c'est que vous êtes victime du tribunal de votre jugement, qui vous a empêché d'aller au bout de vos idées.

> *Principe de créativité :*
>
> Analysez pleinement vos idées

Nous sommes tous victimes du tribunal de notre jugement. C'est notre côté rationnel qui remonte à la surface et qui peut détruire les bonnes idées que nous avons avant même qu'elles n'aient le temps d'arriver à maturité. Beaucoup de bonnes idées ne sont même pas envisagées. Nous avons tendance à ne voir que leurs côtés négatifs, et nous les rejetons. Le contraire est également vrai. Il peut arriver que nous acceptions trop rapidement une idée sans tenir compte de ses aspects négatifs.

Quelques super idées «loufoques» sauvées de l'intervention du tribunal de notre jugement

Beaucoup d'excellentes idées ont été sauvées d'une condamnation prématurée parce que les personnes qui les ont émises ont eu suffisamment de présence d'esprit pour les explorer à fond afin de leur accorder la valeur qu'elles méritaient. La plupart des gens n'auraient même pas daigné envisager de telles idées. Cependant, maintenant que leur réussite n'est plus à démontrer, on les prend pour acquises.

- C'est par accident que les frères Kellogg, à la fin des années 1800, alors qu'ils préparaient des céréales de maïs, se sont retrouvés avec un nouveau produit qu'ils ont décidé de mettre sur le marché comme étant des céréales à manger froides. Jusque-là, les céréales se mangeaient toujours chaudes. La plupart des experts en marketing vouaient ce nouveau produit à un échec cuisant et le qualifièrent «d'aliment pour les chevaux». Les frères Kellogg ont baptisé cette trouvaille, toujours aussi populaire de nos jours, «corn flakes», c'est-à-dire flocons de maïs.

- Il y a un peu plus de dix ans, à Edmonton, en Alberta, Bill Comrie et deux associés ont pris la direction d'un petit commerce, le magasin de meubles Bricks, une affaire de famille appartenant au père de Bill. À l'heure actuelle, Bill Comrie possède une des plus importantes chaînes de magasins de meubles en Amérique du Nord. Un de ses principaux outils de marketing a été ce qu'il appelait «les soldes dingues de minuit». Ses associés avaient remis en question l'idée même de ce concept, convaincus que cela n'attirerait personne. Eh bien! les acheteurs sont venus et si nombreux, qu'au cours de cette première nuit de braderie le chiffre d'affaires dépassa celui qu'avait réalisé son père l'année précédente. Ces «soldes de minuit» ont contribué à la croissance phénoménale de l'entreprise Bricks.

- La nuit où l'idée de la «pierre à adopter» a été conçue, plusieurs personnes ont ri et ont plaisanté au sujet de ce nouveau type «d'objet à apprivoiser», un concept en passe de devenir la marotte d'une foule de gens. Tout le monde trouvait cette idée absolument ridicule, sauf Gary Dahl qui, rentré chez lui n'a pas pu s'endormir, entrevoyant les possibilités d'une telle affaire. C'est alors qu'il surmonta le tribunal de son jugement et décida de mettre sur le marché un livre qui donnerait les instructions sur les soins à donner à sa « pierre de compagnie ». La réussite de Gary Dahl fait désormais partie de la légende.

- Même les fameux *Post-It* ont failli ne jamais voir le jour à cause d'un jugement trop hâtif. C'est Art Fry, un employé des entreprises 3M, qui en a conçu l'idée en 1974. Il faisait partie d'une chorale et utilisait de petits bouts de papier pour marquer les pages des cantiques. Cependant, ces papillons n'arrêtaient pas de tomber de son recueil de chants liturgiques. Un bon jour, alors qu'il était dans son bureau, il décida de mettre un peu d'adhésif à l'endos de marque-pages, et cette technique se révéla très efficace. Lorsque l'entreprise 3M prit la décision de commercialiser une variante de ces papillons à endos adhésif, les distributeurs déclarèrent que l'idée était ridicule. Les premières études de marché n'annonçaient rien de bon. Cependant, les directeurs de 3M n'ont pas permis que les jugements pessimistes de certaines personnes perturbent l'élaboration de ce nouveau produit. Des échantillons furent envoyés aux secrétaires d'entreprises importantes, et celles-ci en démontrèrent l'indéniable utilité. Les *Post-It* sont arrivés sur le marché en 1980 et rapportent à l'heure actuelle un chiffre d'affaires de 400 millions de dollars au groupe 3M.

Zut alors ! Pourquoi n'ai-je pas pensé à inventer cette astucieuse bicyclette ?

Ne comptez ni sur votre banquier ni sur la boîte à suggestions

Il vous est peut-être déjà arrivé que vos idées soient rejetées par votre directeur de banque parce qu'il les jugeait trop loufoques. Vous n'êtes pas le seul à avoir appris alors que l'on ne peut pas compter sur son banquier pour qu'il appuie nos idées. Un de ces personnages a déjà prié Alexander Graham Bell de sortir de son bureau et d'emporter son « jouet ridicule ». Le « jouet » en question était un des premiers modèles de téléphone conçus par le célèbre inventeur[4].

C'est un véritable défi que de faire penser positivement un banquier quand il s'agit d'un nouveau produit à commercialiser. J'ai déjà organisé un séminaire dans une institution financière et j'y ai utilisé l'exercice de la bicyclette tandem 6.1 pour déterminer si les directeurs financiers exploraient à fond les idées reçues, c'est-à-dire s'ils évaluaient à la fois les aspects positifs et négatifs. Sur les dix réponses que j'ai reçues, il n'y en avait aucune de positive. Compte tenu du fait que cette bicyclette avait des aspects positifs, j'ai dû conclure que ces banquiers avaient reçu un entraînement pour voir avant tout les aspects négatifs d'une affaire. Il n'est donc pas étonnant que de très nombreuses idées d'affaires ne reçoivent que peu d'aide financière de la majorité des banques.

> Lorsqu'un vrai génie apparaît sur la terre, vous le reconnaîtrez à un signe qui ne ment pas : tous les cancres se ligueront contre lui.
>
> – *Jonathan Swift*

Soit dit en passant, j'ai également présenté un séminaire à des membres d'une association qui encourageait un programme de « boîtes à suggestions » dans plusieurs de ses entreprises. Ces personnes ne réussirent pas mieux que les banquiers. Je n'ai pas reçu un seul commentaire positif au sujet de la bicyclette tandem. J'ai été vraiment surpris de constater que ces partisans de collectes d'idées au sein des entreprises ne savaient pas analyser correctement celles qu'ils recevaient.

---

4. Un humoriste a déjà dit qu'un banquier était un être qui vous prêtait un parapluie quand il faisait beau et qui s'empressait de vous le reprendre dès qu'il pleuvait. On sait aussi que l'une des phrases de prédilection des banquiers, un leitmotiv au terme de leurs études poussées en commerce, est : « Regardons le passif. De ça, on est toujours certain. »

Les boîtes à suggestions démontrent la force exercée par le tribunal de notre jugement. Quelques entreprises déclarent que plus de 50 pour cent des idées émises par leurs employés ont quelque valeur. La société Toyota affirme que son système de collecte d'idées créatrices a généré plus de 20 millions d'idées au cours des quarante dernières années, et que plus de 90 pour cent d'entre elles ont été adoptées. Troublant.

D'autres entreprises déclarent que moins de cinq pour cent des suggestions recueillies ont une quelconque valeur. Que dire d'une telle différence? Il est indubitable que plus de cinq pour cent des idées reçues dans ces sociétés ont une valeur certaine. À ce qu'il me semble, les directeurs des entreprises qui n'utilisent qu'une infime fraction des suggestions reçues gaspillent énormément de bonnes idées. Ils n'explorent pas à fond les aspects positifs de celles-ci; ils se concentrent sur leurs aspects négatifs et rejettent le tout sans plus de considération.

L'attaque des jugements préconçus, ces destructeurs d'idées

«Ça ne fonctionnera jamais. C'est une idée stupide!» Il y a de bonnes chances que, si vous avez eu une idée originale, vos collègues, vos amis ou votre famille vous aient dit qu'elle ne fonctionnerait pas. Tous les gens qui ont réussi à mettre en valeur un nouveau service ont entendu ce genre de commentaires.

Voici quelques-unes des remarques destructrices que l'on peut utiliser pour attaquer une personne qui suggère une innovation ou une nouveauté:

- Comment se fait-il que personne n'y ait pensé auparavant?
- Quelqu'un a déjà essayé de faire quelque chose de semblable et cela n'a pas fonctionné.
- Cela exigera beaucoup de travail.
- Il n'y a pas eu d'expérience préalable au sein de l'entreprise.
- La direction ne sera jamais d'accord.
- On va penser que nous sommes fous.

Passez vos idées au crible du PMI

La méthode PMI, un outil de réflexion très puissant, a été imaginée par Edward de Bono. Elle est très efficace et très simple. Tout le monde pense l'utiliser la majeure partie du temps, mais, en fait, on ne l'utilise pas du tout. De plus, les personnes les plus intelligentes semblent les plus enclines à la négliger totalement parce qu'elles sont trop convaincues que leur point de vue est le seul qui soit valable.

La méthode PMI ne prend que de deux à cinq minutes et permet de diriger son attention vers un point précis. C'est une méthode que l'on choisit exprès et que l'on doit appliquer avec beaucoup de discipline, afin d'obtenir une analyse plus complète de son idée.

PMI est l'abréviation des éléments dont on doit tenir compte pour analyser une idée ou une solution à un problème. Le sigle PMI signifie :

- P pour *plus* (les aspects positifs) ;

- M pour *moins* (les aspects négatifs) ;

- I pour *intéressant* (les aspects neutres).

Quelle bicyclette géniale! Cela vaut bien mieux que de le porter sur mon dos!

La méthode PMI analyse vos idées

Si l'on demandait à cinquante personnes ce qu'elles penseraient si le gouvernement donnait 5 000 dollars à chaque citoyen pour stimuler l'économie, la majorité dirait qu'il s'agit d'une excellente idée. Ensuite, si on demandait à ces mêmes personnes de revoir leur opinion après avoir utilisé la méthode PMI, on obtiendrait à coup sûr des résultats tout à fait différents. L'analyse PMI pourrait ressembler à quelque chose dans ce genre :

PLUS	MOINS	INTÉRESSANT
Les dépenses des ménages augmenteront.	L'imposition augmentera aussi.	Il sera intéressant de voir quelle partie de cet argent sera consacré à l'épargne.
Les gens seront plus heureux.	Les alcooliques et les drogués s'en donneront à cœur joie.	Il sera intéressant de voir comment les gens dépenseront leur pécule.
Il y aura création d'emplois.	On utilisera davantage de ressources.	Il sera intéressant de voir si les dons aux organisations charitables augmenteront.
Les enfants quitteront plus tôt le foyer familial.	L'inflation baissera.	
	Les enfant quitteront plus tôt le foyer familial.	

Vous remarquerez que la colonne *intéressant* de la méthode PMI a plusieurs utilités. Tout d'abord, on ne peut y placer aucun élément positif ou négatif. Ensuite, la personne qui réfléchit est amenée à sortir du cadre habituel de ses jugements, qu'ils soient positifs ou négatifs. Enfin, cet aspect peut conduire la personne vers d'autres idées en empruntant celle dont il est question.

> Ah! le blue jean! Le jean est un agent destructeur! Un dictateur! Il a détruit la créativité! Le jean doit être banni!
>
> – Pierre Cardin

Lorsqu'on utilise la méthode PMI, il est courant de voir que les idées que l'on s'était faites au sujet d'un point précis diffèrent de leur conception originelle.

La décision finale peut nous surprendre, parfois. La méthode PMI est tout ce qu'il y a de plus utile dans des situations où nous avions de belles certitudes dès le départ. C'est en de pareils moments que nous devons utiliser le plus cette forme d'analyse.

Exercice 6.3 – Avantages (et désavantages) de boire de l'alcool au travail

Imaginons que vous faites suivre un programme de suggestion d'idées au sein d'une entreprise et que quelqu'un ait soumis la suggestion suivante pour faire accroître la productivité.

Nous devrions permettre aux employés de consommer des boissons alcoolisées au travail.

Faites une analyse de cette suggestion en utilisant la méthode PMI, afin de vous assurer que vous avez exploré tous ses mérites potentiels. (Voir l'annexe, page 260, pour un échantillon de cette analyse)

PLUS	MOINS	INTÉRESSANT

Beaucoup d'entreprises se disent innovatrices. Et mon œil?

Examinons pourquoi vos idées innovatrices et votre créativité ne reçoivent pas beaucoup d'appui de la part des organismes actuels. Cela se produira souvent, bien que ceux-ci doivent se montrer des plus innovateurs pour survivre et devenir prospères dans notre monde compétitif où prédomine l'économie globale. Voici donc un exercice qui met en évidence la façon de fonctionner des organismes nord-américains.

Je bois uniquement pour permettre à mes amis d'avoir l'air plus intéressant.

– Un sage anonyme

Exercice 6-4 Seul l'avenir le dira

Tom Beller, le directeur du service de commercialisation d'une importante société fait face à un problème grave : son entreprise vit dans un environnement très compétitif, en mutations constantes et rapides. Il doit trouver des idées innovatrices pour distancer la concurrence.

Le problème immédiat qui se pose à ce cadre concerne une de ses meilleures employées, Trina Hamper. Cette dame arrive tous les jours avec une demi-heure de retard et ne montre aucun signe d'amélioration à ce chapitre. Selon la direction, Trina, grâce à sa productivité et à son esprit innovateur, est une des employés de grande valeur de son service. Elle est indépendante, pleine d'énergie et fait preuve de beaucoup de créativité. La qualité de son travail est supérieure à celui de ses collègues. Tom l'a en haute estime et l'a prouvé rapidement en lui octroyant une promotion et des augmentations de salaire plus élevées qu'on en a accordé au reste du personnel. Par contre, tout comme certains employés cadres, la plupart des collègues de Trina ne l'apprécient pas beaucoup et ne pensent pas grand-chose de bien d'elle. On la critique constamment et on la blâme entre autres pour ses retards répétés.

Il y a peu de temps, d'autres employés de l'entreprise ont commencé à arriver en retard eux aussi. Interrogés à ce propos, ils répondent que si Trina peut arriver en retard, ils peuvent bien en faire autant.

Que doit faire Tom Beller pour régler ce problème ?

Les consultants les plus éminents de l'heure ont déclaré que les entreprises qui réussissent sont celles qui ont un profil qui répond aux critères suivants.

- Avoir des employés bien formés, créatifs et souples.

- Offrir aux employés clés des occasions de croissance personnelle.

- Différencier leurs services.

- Surveiller étroitement la qualité du travail accompli et des produits et des services fournis.

- Gérer de manière serrée, mais extrêmement réceptive.

- Se montrer très innovateurs.

> Quelle chance pour les gouvernants que les hommes ne pensent pas...
>
> – Adolf Hitler

Le problème exposé à l'exercice 6.4 représente une situation qui, selon les personnes qui assistent à mes séminaires et à mes cours, se produit fréquemment dans le monde des affaires. (Voir les notes de chapitre, page 107, pour des solutions possibles.) Le fait de ne pas soutenir une personne très innovatrice comporte de nombreuses implications.

Examinons les qualités et les traits de caractère que possèdent les personnes extrêmement créatrices, comme Trina.

Traits de caractère des employés faisant preuve de beaucoup de créativité

- Ils sont indépendants,

- tenaces,

- très motivés et très productifs,

- n'hésitent pas à prendre des risques,

- sont spontanés et possèdent le sens de l'humour.

- Ils utilisent leurs émotions et leur intuition pour prendre des décisions,

- entretiennent un bon équilibre entre le travail et les loisirs,

- désirent préserver leur vie privée,

- peuvent être rebelles.

- Ils préfèrent les tâches difficiles et asymétriques plutôt que les faciles et les symétriques,

- et résistent à l'endoctrinement.

- Il peut être parfois difficile de s'entendre avec eux.

- Ils prennent des positions nettes sur des points précis,

- savourent le désordre et l'ambiguïté,

- remettent tout en question et spécialement le statu quo,

- causent des problèmes et s'en moquent.

La chose la plus importante à considérer dans le cas présenté à l'exercice 6.4, c'est le côté délicat de la situation à laquelle le directeur doit faire face. Il est essentiel que celui-ci, en raison de l'intimidation qu'elle subit, ne pousse pas Trina à quitter l'entreprise. Il est l'un des rares supporters qu'elle possède. Il n'est pas rare que les personnes très créatrices soient confrontées à ce genre de problème au travail. Si Tom l'appuie, c'est qu'il doit posséder quelques traits de caractère semblables à ceux de Trina.

On considère comme loufoque la personne qui présente une idée nouvelle... jusqu'à ce que son idée triomphe.

– Mark Twain

Beaucoup d'organisations se vantent d'avoir le sens de l'innovation. Dans la plupart des cas, les directeurs se gargarisent avec le mot «innovation» parce que cela paraît «dans le vent», mais lorsque vous examinez comme il faut ces sociétés, vous vous apercevez qu'elles n'appuient guère les gens aux talents créateurs comme Trina, des personnes qui font preuve d'initiative pour être créatrices. Je leur demande toujours : «Comment les entreprises peuvent-elles prétendre être innovatrices, si elles n'appuient pas leurs employés les plus créatifs?»

La plupart des employés et des cadres de haut niveau ont tendance à ne pas apprécier les personnes comme Trina. On préfère volontiers des particuliers au comportement ordinaire et des résultats médiocres au déploiement d'initiatives. Une personne faisant preuve de beaucoup de créativité et préconisant des idées novatrices est très souvent perçue comme un danger ou une menace et se trouve frappée d'ostracisme par ses collègues de travail, ces derniers la percevant comme une rivale dangereuse qui pourrait obtenir un avancement avant eux. Beaucoup de directeurs feront tout ce qui est possible pour rendre la vie insupportable à une personne qui ne rentre pas dans le moule de la normalité, même si celle-ci représente un atout pour l'entreprise et contribue pour beaucoup à la réussite des affaires, beaucoup plus que le reste des employés qui restent engoncés dans leur médiocrité mais qui satisfont aux sacro-saintes normes.

Un des moyens que les directeurs d'entreprise ont à leur disposition pour rabaisser les employés faisant preuve de beaucoup de créativité consiste à dire d'eux qu'ils n'ont pas «l'esprit d'équipe». Les entreprises mettent l'emphase sur l'esprit de corps de façon exagérée. Lorsqu'on demande à des employés d'avoir l'esprit d'équipe, il en résulte automatiquement une

Si vous avez un employé qui dit amen à tout ce que vous dites, un de vous deux est en surnombre.

– Un ancien directeur de Xerox

baisse de l'individualisme et de la créativité. Dans bien des cas, un directeur qui demande à ses employés d'avoir cette disposition d'esprit est un cadre qui veut des employés ne faisant pas preuve d'initiative et qui jouent les béni-oui-oui.

Les gens qui ont les meilleures idées et qui sont les plus créatifs sont en général des parias. Il est vrai que les personnes très créatrices ne font pas de bons partenaires d'équipe. Les directeurs devraient appuyer leurs employés qui font preuve de créativité plutôt que d'essayer de les faire rentrer dans le rang. Ce qu'il faut comprendre, c'est que les idées proviennent de personnes et non de groupes moutonniers.

Beaucoup de directeurs recherchent du personnel qui acquiesce à tout, parce que les traits de caractère des gens créatifs comportent quelque chose de très menaçant, tout spécialement, les quatre derniers traits de caractère cités à la page 94. Par conséquent, les directeurs qui ne sont pas très sûrs d'eux ont tendance à s'entourer des employés peu créatifs. Tom Watson, l'ancien P.D.G. d'IBM, a déclaré ceci à propos du genre d'employés qu'il favorisait :

> Je n'ai jamais hésité à favoriser une personne que je n'aimais pas. L'employé satisfaisant en tous points – le genre sympa avec lequel on aime aller à la pêche – est une vraie catastrophe. J'ai toujours recherché des personnes vives, caustiques, dures, presque désagréables, des personnes qui voient les choses et qui vous les montrent telles qu'elles sont. Il n'y aura pas de limites à votre réussite si vous réussissez à vous entourer de suffisamment de personnes comme celles-là et si vous avez la patience de les écouter.

Une personne qui fait preuve de beaucoup de créativité ne gravira pas les échelons de la majorité des grandes entreprises. Si elle se montre audacieuse, elle sera pénalisée ou transférée dans un service où l'on pourra la neutraliser. Les sociétés essayent toujours de soumettre ce genre de personnes. Si elles n'y parviennent pas, elles les licencient. Advenant le cas où ces employés ne sont pas obligés de quitter l'entreprise, réalisant qu'ils ne seront jamais appuyés par la direction dans leurs tentatives pour être créatifs, profondément écœurés, ils finissent par s'en aller.

Les grandes entreprises ont davantage besoin d'employés faisant preuve de créativité que ceux-ci n'ont besoin des grandes entreprises

Nous sommes à l'aube du troisième millénaire, une période où surviennent beaucoup de fusions, de ventes et de licenciements au sein des grandes entreprises. À votre avis, quels sont les employés qui sont d'accord pour quitter de façon volontaire leur employeur? Ceux et celles qui font preuve de la plus grande créativité. Ceux qui ont confiance en eux, qui acceptent de prendre des risques, car ils savent qu'ils peuvent fonctionner sans l'aide d'une grande corporation. En fait, ils considèrent que la vie en entreprise est humiliante.

> *L'individu doué de beaucoup de créativité est capable de plus de sagesse et de mérite que celui qui travaille en collectivité n'en aura jamais.*
>
> – John Stuart Mill

De plus en plus de gens laissent tomber la rigidité du monde des affaires pour retrouver la liberté d'agir et poursuivre leurs intérêts personnels, qui peuvent s'avérer plus gratifiants que leurs emplois, malgré des conditions économiques difficiles. Ces personnes qui, pour les conformistes, ont «régressé», finissent souvent par gagner moins d'argent et par travailler beaucoup plus dur qu'elles ne le faisaient au sein des grosses sociétés où elles travaillaient.

Lorsqu'une de ces personnes quitte une entreprise, cette dernière en souffre toujours. Les entreprises se nuisent grandement lorsqu'elles laissent aller de tels employés.

- L'effet le plus évident est la perte d'un employé productif possédant des idées novatrices.

- Le deuxième effet possible est que cet employé très créatif aille offrir ses services à une entreprise concurrente qui encourage davantage la créativité chez ses employés. Il est aussi possible que cet employé devienne un concurrent en créant sa propre affaire.

- Le troisième effet qu'aura le départ d'un employé créatif est le fait que les autres collaborateurs verront que l'entreprise n'appuie pas ce type de personne. Cela justifiera, à juste titre, leur apathie.

Monsieur Lacarpette, je vous mets à la porte parce que je ne supporte pas les individus insignifiants dans votre genre, qui disent oui à tout...

Madame la Pédégère, je suis totalement d'accord avec vous. Vous prenez des décisions géniales !

De grosses entreprises telles Hallmark et 3M sont renommées pour l'appui qu'elles offrent aux employés faisant preuve de créativité. Qu'ont-elles donc découvert, ces organisations, en agissant ainsi ? Qu'on doit permettre à ces employés de rester eux-mêmes. Que ces employés créatifs doivent avoir la possibilité d'être indépendants et protégés. Ils doivent être récompensés pour leurs succès, mais aussi pour leurs échecs. Ils doivent être récompensés, financièrement parlant, par l'octroi de primes à la productivité. Les personnes créatives sont très possessives face à tout ce qui touche leurs idées et leur réussite. Elles détestent que d'autres employés, et tout spécialement ceux qui occupent des postes de direction, s'approprient leurs mérites. C'est pourquoi on doit absolument leur accorder tous les crédits qui leur reviennent.

Art Fry, dont nous avons parlé à la page 87 (voir l'anecdote sur les Post-It), était un scientifique qui a travaillé pour la société 3M pendant trente ans et qui a couronné sa carrière en lançant sur le marché les célèbres *Post-It*, avec l'aide de Spencer Silver. S'il n'avait pas été encouragé par la politique d'esprit d'entreprise de 3M, les fameux *Post-It* n'auraient jamais été commercialisés.

> Lors d'une conférence, Art Fry a fait remarquer les choses suivantes au sujet des employés extrêmement créatifs, les « intrapreneurs », comme les appelle la direction de 3M :
>
> Je dois vous prévenir : les intrapreneurs sont une race à part, des chardons sous la selle de bien des directeurs. Ils veulent tout changer, faire dépenser de l'argent. Ils pensent à long terme, posent des questions embarrassantes, contestent l'autorité et peuvent être des éléments perturbateurs. La vérité et la possibilité de faire avancer les choses sont à leurs yeux plus importantes que les motivations conventionnelles, l'appât du gain ou le pouvoir.

Cependant, pour engager ces personnes, ces innovateurs, il faut leur donner du temps, de l'argent et un avenir au sein de l'entreprise. Nous les embauchons pour qu'ils cherchent sans savoir ce qu'ils vont trouver.

Au sujet des personnes à l'esprit extrêmement créatif, Léon Royer, directeur exécutif de l'apprentissage organisationnel chez 3M, a déclaré : « Soit on apprend que l'on doit en avoir dans son entreprise et qu'il faut les protéger, soit l'entreprise sera menacée de disparition. » Il n'est certes pas facile de les diriger. Ici, une fois de plus, le paradoxe de la vie facile s'applique. Ces phénomènes exigent des attentions très spéciales, mais ils en valent la peine. Comme l'a dit un des patrons d'IBM qui soutient ce genre de personnes : « Un aigle vaut beaucoup plus que deux dindons. »

> *Je ne veux aucune personne qui dise amen à tout ce que je fais. Je veux que tout le monde me dise la vérité, même si cela doit leur coûter leur emploi.*
>
> *– Samuel Goldwyn*

Pourquoi les « je-sais-tout » souffrent-ils du syndrome du spécialiste ?

Je travaillais sur ce livre lorsque j'ai reçu une brochure publiée par une fondation internationale intitulée : « Devenez quelqu'un qui connaît tout ! Voici comment. »

À l'intérieur, on y lisait : « Adhérez à notre fondation, et vous verrez comme il est facile de tout connaître. » Je me suis demandé si ses auteurs avaient réfléchi aux avantages qu'il y a à *ne pas* tout connaître.

Les gens qui veulent tout connaître font face à de graves problèmes, le plus gros étant qu'ils doivent affronter le manque de créativité. Les chercheurs ont découvert que plus quelqu'un se spécialise, veut tout connaître et pense qu'il connaît tout, plus sa créativité en souffre. On nomme cela « le syndrome du spécialiste ».

Ces soi-disant « experts » peuvent nous berner et nous faire croire qu'ils en savent plus que nous dans leur domaine, parce qu'ils sont spécialisés dans ce secteur. À ce qu'il paraît, ils sont censés connaître ce qui est raisonnable et ce qui ne l'est pas. Leurs convictions peuvent être considérées comme un passif. Or, il est bien connu que des convictions rigides et des façons de penser inflexibles peuvent se révéler des éteignoirs à créativité dans bien des domaines. Elbert Hubbard a défini le spécialiste comme étant «quelqu'un qui se limite à une ignorance délibérément choisie».

Peu importe le genre d'industrie, on constate que les experts ou les spécialistes ont tendance à être les moins novateurs. Il y a en fait trois choses qui entravent la créativité des «je-sais-tout»:

- La connaissance
- L'éducation
- L'expérience.

Les experts qui souffrent du syndrome du spécialiste sont passés maîtres pour exterminer les nouvelles idées. Ils pensent connaître toutes les bonnes raisons pour lesquelles ce qui est innovateur et différent ne peut pas fonctionner. Par consé-quent, ils ont tendance à être les moins créateurs et les moins innovateurs dans leur domaine. Ils ont également tendance à ne pas appuyer qui que ce soit qui tente de faire preuve d'innovation.

> *Personne ne peut vraiment être un pur spécialiste sans être un idiot au véritable sens du mot.*
> *– George Bernard Shaw*

Les spécialistes vous expliqueront brillamment pourquoi certaines choses ne peuvent pas fonc-tionner. Et ils en convaincront beaucoup, parce qu'ils sont spécialement doués pour fournir des arguments très convaincants. Ils oublient d'examiner une chose: la raison pour laquelle ce qu'ils rejettent peut fonctionner!

MBA ne signifie pas «Mercedes-Benz en Attente»

De nos jours, vous devez être innovateur pour être un diri-geant dans le monde des affaires. Un diplôme d'une école de commerce réputée fera souvent l'affaire. Cependant, vous ne devriez pas vous sentir désavantagé si vous ne possédez pas de diplôme universitaire ou collégial. En fait, vous pourriez avoir un avantage sur tous ces diplômés. Le magazine *Business Week* a relaté récemment que la plupart des programmes univer-sitaires en administration ne font qu'étouffer la créativité.

Les universités qui offrent des programmes d'enseignement en administration comme celui que j'ai eu aimeraient que nous pensions que les lettres MBA signifient «Mercedes-Benz en Attente». Cependant, après avoir obtenu mon diplôme en administration, mon «MBA», j'ai réalisé que ce n'était pas du tout le cas. En fait, les diplômés en administration ne sont, en général, pas très créatifs. C'est pourquoi l'ancien président de Chrysler, Lee Iaccoca, a déclaré: «Les diplômés en adminis-tration connaissent tout et ne comprennent rien.» Lorsque je suis arrivé dans le vrai monde, j'ai trouvé la vraie signification des lettres MBA: *Means Bugger All*[5].

Voici les traits de caractère que les dirigeants d'entreprises devraient avoir et les choses dans lesquelles ils devraient excel-ler pour réussir dans le monde contemporain:

- La créativité
- Un processus décisionnel inné
- Des qualités de visionnaire
- L'enthousiasme, avec un certain piquant
- La capacité d'établir un excellent service à la clientèle.

Combien y a-t-il de livres de gestion qui, dans les universités, énumèrent à leur index tous ces éléments essentiels à une gestion moderne des entreprises? Pas beaucoup. Peter Drucker[6] avait raison, lorsqu'il disait: «Lorsqu'un sujet devient désuet, les universités ont tendance à le rendre obligatoire.»

En affaires, la créativité et un esprit novateur vont au-delà des diplômes universitaires. Pour réussir sur le plan de la créativité, les éléments essentiels sont ceux que l'on n'acquiert pas à l'intérieur des cénacles universitaires. Soyons objectifs: certai-nes personnes parmi les moins créatrices sont des personnes possédant des diplômes en gestion et en administration. D'un autre côté, certaines personnes parmi les plus créatrices dans le monde des affaires sont des particuliers qui ne possèdent aucun diplôme en administration et qui n'en auront jamais besoin pour continuer à créer de nouveaux produits et services.

---

5. Littéralement: «Ne veut rien dire» ou «Signifie que dalle» en *slang* américain. (N.d.T.)
6. Économiste et juriste international, professeur dans plusieurs univer-sités américaines, auteur de trois ouvrages. (N.d.T.)

Méfiez-vous des spécialistes qui ne sont pas aussi exceptionnels que vous le pensez...

Vous venez de discuter de votre nouvelle idée avec les «experts», et ils ont déclaré qu'elle «ne fonctionnerait pas». Comment avez-vous réagi? C'est à vous de découvrir si votre idée est bonne ou non. Il est souvent arrivé que des gens dotés de peu de connaissances, d'expérience et d'instruction, aient eu raison des prétendus «experts».

Rappelez-vous que Christophe Colomb est allé à l'encontre de la croyance générale qui disait: «La terre est plate». D'une certaine façon, il existe beaucoup de personnes, de nos jours, qui agissent et pensent encore comme si c'était le cas. Ce type de phénomène existe dans tous les domaines. En voici quelques exemples classiques:

- Erasmus Wilson, qui enseignait à l'Université d'Oxford, a déclaré, en 1878: «Pour ce qui est de la lumière électrique, on l'a beaucoup louée et décriée. Mais, quant à moi, lorsque l'Exposition de Paris fermera ses portes, la lumière électrique s'éteindra et on n'en entendra plus jamais parler.»

- Charles Duell, le directeur du Bureau des brevets aux États-Unis, a déclaré en 1899: «Tout ce qui aurait pu être inventé, l'a déjà été.»

- Se portant à la défense du cinéma muet, Harry Warner, le président de la Warner Brothers, a déclaré, en 1927: «Mais qui donc pourrait bien avoir envie d'entendre parler des acteurs?»

- En 1895, Lord Kelvin a déclaré: «Il est impossible de faire voler des machines plus lourdes que l'air.»

- L'Académie des sciences des États-Unis a fait publier en 1940 une déclaration soutenant que les avions à réaction n'existeraient jamais: «Même si l'on envisage toutes les améliorations possibles, la turbine à essence est une chose qui ne pourra jamais s'appliquer aux avions, principalement à cause de la difficulté à laquelle on fait face pour se plier aux exigences de poids.»

- En 1878, la société Western Union a renoncé à acquérir les droits exclusifs pour une nouvelle invention. «Quel usage notre entreprise pourrait-elle tirer d'un jouet électrique?» déclara dédaigneusement un de ses dirigeants. Il s'agissait du téléphone de Bell...

- Un président de la Michigan Savings Bank a conseillé à un avocat de ne pas investir dans la Ford Motor Company. Il déclara, le plus sérieusement du monde: «Le cheval a fait ses preuves, il ne disparaîtra jamais, tandis que l'automobile est une nouveauté, une passade...»

Mon expérience personnelle m'a appris à me méfier de toute personne qui essayerait de m'impressionner par les vastes connaissances qu'elle possède dans son secteur d'activité, car ce savoir est fondé uniquement sur le temps qu'elle y a passé. J'ai souvent réalisé que mon meilleur atout est de ne pas être «raisonnable» et de ne pas écouter les prétendus experts. J'essaie plutôt de découvrir par moi-même ce qui peut ou ne peut pas être fait dans un domaine en particulier.

> *Une nouvelle idée est fragile. Elle peut être tuée par un sarcasme ou un bâillement. Elle peut être poignardée à mort par une raillerie et mise en péril par le froncement de sourcils de quelque personne influente.*
>
> *– Charlie Brower*

Après avoir écrit et publié mon livre *L'Art de ne pas travailler*, j'ai reçu des centaines de lettres qui, en grande majorité, appuyaient ma théorie. L'une d'elles provenant d'une femme, écrivain pigiste, mettait plusieurs bémols à la clé. Cette dame m'expliquait dans sa lettre qu'elle était en grande partie d'accord avec la philosophie de mon livre. Cependant, elle disait aussi qu'il était mal écrit et difficile à lire, et me proposait donc de le réécrire dans un style plus professionnel et plus universitaire.

Ce genre de spécialiste éprouve deux sérieux problèmes: elle est en dehors de la réalité et pense que sa perception de cette réalité est la seule qui soit valable. À peu près toutes les personnes qui m'ont écrit, téléphoné ou rencontré en personne au sujet de ce livre m'ont félicité parce qu'elles le trouvaient bien écrit et facile à lire. Parmi celles-ci, on retrouve des gens qui œuvrent dans tous les domaines, des professeurs et des universitaires. Ce livre a été choisi comme lecture obligatoire pour les élèves de deuxième année du programme des loisirs de l'Université de

> *J'ai mis vingt-cinq ans à découvrir que je n'avais aucun talent d'écrivain. Malheureusement, il était trop tard. Je n'ai pas pu m'arrêter d'écrire à ce moment-là, car j'étais trop connu.*
>
> *– Robert Benchley*

l'Alberta. L'enseignante qui l'a inscrit à son cours m'a précisé qu'elle l'avait fait parce que ses étudiants détestaient les autres livres au programme, qu'ils trouvaient trop académiques et indigestes. Si j'avais accepté les services de cette pigiste, mon livre aurait été réécrit de telle manière que la majorité des lecteurs ne l'auraient pas apprécié. Bien sûr, elle émettait l'hypothèse que tout le monde tient à lire des textes écrits dans un style plus universitaire et plus aride que celui que j'ai choisi. Je n'allais pas me laisser toucher par ces fausses suppositions, même si elle est une «experte».

Il est relativement facile de se faire avoir par les experts si l'on ne prête pas attention à ce qui se passe autour de soi. C'est arrivé aux meilleurs d'entre nous et, comme le prouvent les exemples ci-dessous, le prix à payer est assez élevé.

Ainsi, il y a quinze ans, le réseau NBC dépensa 750 000 $ (ce qui équivaut aujourd'hui à environ deux millions de dollars) pour que des spécialistes créent un nouveau logo. Ils étaient sur le point d'utiliser celui-ci quand ils se sont aperçus que le Nebraska Educational Network utilisait le même logo depuis un certain temps. À la suite d'un règlement à l'amiable, NBC a versé 55 000 $ au comptant et donné 500 000 $ d'équipement de télévision d'occasion à cette chaîne de télévision éducative. Le coût total pour NBC a donc été de 1 305 000 $ (environ quatre millions de dollars courants) pour pouvoir utiliser le fameux logo. De son côté, la chaîne de télévision marginale de Lincoln, Nebraska, n'avait donné que 100 $ à l'employé qui avait dessiné le fameux emblème...

> Un professionnel est une personne qui vous dit ce que vous savez déjà, mais que d'une certaine façon, vous ne pouvez comprendre.
>
> – Un sage anonyme

Quelques-unes des découvertes les plus importantes viennent du fait que certaines personnes se seraient montrées totalement déraisonnables et auraient défié les experts, refusant d'écouter le tribunal de leur jugement. En voici quelques exemples :

- Anita Roddick est la fondatrice de *Body Shop*, l'entreprise la plus importante et la plus rentable dans le domaine des cosmétiques en Grande-Bretagne et au Canada. Cette société est aussi connue dans ces deux pays que Coca-Cola et MacDonald aux États-Unis. Anita Roddick ne possède pas de maîtrise en commerce et c'est probablement pour cela qu'elle a réussi. Elle a déclaré: «Nous avons survécu parce que nous n'avions aucune connaissance rationnelle en commerce.» En fait, elle a survécu parce qu'elle ne se faisait pas fort de tout connaître.

- À la fin des années 1980, deux chercheurs de chez IBM, K. Alex Mueller et J. George Bednorz, ont désobéi aux ordres de leur patron en mettant au point une nouvelle technologie: une façon pratique de créer des supraconducteurs. Ce qui est incroyable dans cette histoire, c'est que ni l'un ni l'autre n'étaient des experts en la matière. Ils ont travaillé avec des substances que les experts ne connaissaient que pour leurs propriétés isolantes, et non pour leur conductivité potentielle. En désobéissant à leurs supérieurs et en défiant les experts, ces deux hommes ont obtenu le prix Nobel de physique.

- Il y a plusieurs années, Joan Paré et Grant Lovig ont approché plusieurs maisons d'édition dans le but de faire publier leur premier livre, *Company's Coming Cookbook*. Constatant qu'aucune de ces maisons n'était enthousiaste pour publier leur livre, ils prirent la décision de le faire à compte d'auteur. Les experts qui œuvrent dans le monde de l'édition avertissent les personnes qui désirent publier des livres à leurs frais de s'en abstenir. Comment se fait-il que Paré et Lovig n'aient pas suivi cette recommandation? Lovig, qui n'avait aucune expérience dans la mise en marché de livres de recettes, a mis au point des méthodes de marketing sortant de l'ordinaire et certainement pas très orthodoxes, que les maisons d'édition les plus importantes n'avaient pas encore utilisées jusquelà. Le premier livre de recettes de *Company's Coming* s'est vendu à plus de 800 000 exemplaires, un chiffre très impressionnant si l'on

> Un expert est une personne qui a arrêté de penser. Pourquoi devrait-il penser? Après tout, c'est un expert!
> – Frank Lloyd Wright

considère que seulement 200 des 65 000 livres publiés chaque année en Amérique du Nord atteint des ventes de 200 000 exemplaires. *Company's Coming* possède maintenant douze titres de livres de recettes, et en a vendu plus de dix millions d'exemplaires. Paré et Lovig illustrent bien que l'on peut gagner beaucoup d'argent en faisant quelque chose que les experts déconseillent.

Comment se guérir du syndrome du spécialiste ?

Apprendre à reconnaître les personnes atteintes du «syndrome du spécialiste» vous sera très profitable. Apprenez à ne pas prêter attention aux gens qui, tout en insistant sur leur très grande expérience, leur niveau d'éducation et leurs connaissances, essayent de vous dissuader d'essayer de faire quelque chose d'innovateur dans votre domaine. Suivez bien ce principe, même si vous êtes un nouveau venu dans un secteur.

> Écoutez bien les experts : ils vous expliqueront ce qui ne peut pas être fait et pourquoi. Après, faites-le !
>
> – Robert Heinlein

Lorsque vous entreprenez un nouveau projet, vous verrez que de nombreuses barrières se dressent de tous côtés. Lorsqu'une personne fait face à un obstacle et qu'elle axe son comportement sur son expérience, son éducation et ses connaissances, vous découvrirez assez vite qu'elle s'arrête immédiatement. La personne qui prétend tout connaître aura maintenant une bonne raison pour dire qu'une chose est impossible à réaliser. Pour mener à bien votre idée ou votre projet, vous devrez agir de façon totalement différente.

Si vous avez une attitude saine, vous avez tout en mains pour pouvoir faire en sorte que votre idée ou que votre produit réussisse. Une attitude positive vous aidera à persévérer et à poursuivre votre projet et cette persévérance vous mènera sûrement à la réussite. Que votre idée aboutisse ou non, vous serez toujours gagnant, car vous y aurez investi le meilleur de vous-même.

L'idée suivante qui vous viendra à l'esprit exigera la même attitude positive. Il est certain qu'à un moment donné une idée gagnante finira par émerger et vous montrera combien vous avez eu raison de persévérer. Vous aurez laissé les spécialistes à l'arrière-plan et vous vous demanderez comment vous, avec moins d'expérience et moins de connaissances, avez fait pour réussir.

Faites bien attention de ne pas vous laisser contaminer par le syndrome du spécialiste et ainsi laisser votre éducation, vos connaissances et votre expérience bloquer votre créativité. Suis-je en train de dire que dans l'effort créatif la connaissance, l'éducation et l'expérience n'ont pas de valeur ? Certes pas! Ces attributs peuvent constituer des atouts de taille dans notre recherche créative à condition que nous nous en servions pour créer et que nous ne les utilisions pas comme substituts de la créativité.

Soyez toujours à l'écoute de nouvelles idées, qu'elles viennent de vos confrères, d'inconnus ou même de votre concierge. Il peut arriver qu'un concierge connaisse la solution à un problème, alors que même les personnes les plus haut placées ne l'avaient pas vue. Le remède pour guérir du syndrome du spécialiste est bien simple : ne vous prenez jamais pour un spécialiste. Cela vous permettra de goûter à la joie de ne pas tout connaître.

Lorsque les politiques échouent, essayez donc de penser un peu...
– Un sage anonyme

Notes de chapitre

Exercice 6.4

Bien entendu, comme dans tous les problèmes, la première chose à faire sera de le poser convenablement (voir page 23). Ici, qui est le problème : Trina ou l'entreprise ? Dans certaines entreprises, où la ponctualité et les structures rigides sont importantes, Trina constituerait un mal de tête. Si Trina en est la cause, la solution consiste à trouver un moyen pour la motiver à arriver à l'heure.

Solutions possibles si Trina est le problème

- Voici la solution évidente. Il faut parler à l'employée coupable pour découvrir les motifs de ses retards répétés. Demandez-lui d'arriver à l'heure en lui expliquant les répercussions que ses retards ont sur l'entreprise.

- Établissez des horaires flexibles pour tout le monde ; permettez jusqu'à une heure de retard, à condition que chacun travaille ses huit heures par jour.

- Offrez-lui d'aller la chercher chez elle pour l'amener au travail.

- Offrez-lui une augmentation de salaire si elle arrive à l'heure de façon constante.

- Faites servir du café et des biscuits aux employés qui arrivent à l'heure.

- Confiez-lui la responsabilité de s'assurer personnellement de la ponctualité de tous les autres employés.

- Organisez les réunions de service tôt le matin. Les retardataires seront gênés de ne pas y assister.

- Donnez-lui la seule clé du bureau et la responsabilité d'ouvrir les portes du bureau le matin aux autres employés – y compris vous.

- Renvoyez Trina et engagez quelqu'un de moins créatif à sa place.

- Changez l'horaire du début de la journée en le repoussant d'une demi-heure pour tout le monde, et observez ce qui se passe.

- Permettez à Trina de travailler sur un projet spécial une demi-journée par semaine, mais à condition qu'elle arrive à l'heure. Ce genre de projet pourrait se révéler très bénéfique pour l'entreprise.

- Offrez à Trina de participer à un séminaire dans un endroit de villégiature ou dans une ville renommée si elle arrive à l'heure pendant les six prochains mois.

Solutions possibles si le problème se trouve au sein de l'entreprise.

- Permettez à Trina d'arriver en retard et expliquez aux autres employés qu'elle a gagné ce privilège grâce à sa productivité.

- Donnez-lui une promotion assortie du privilège d'arriver en retard.

- Renvoyez tous les autres employés et engagez des employés dont la créativité est égale à la sienne.

- Modifiez la culture de l'entreprise en faisant participer tous les employés à des séminaires sur les bienfaits de l'innovation et sur la façon d'augmenter leur créativité. Puis, donnez à tous la chance d'exprimer celle-ci.

- Renvoyez Trina et réengagez-la à contrat, ce qui ne l'assujettira pas aux mêmes règles que les autres. Vous remarquerez qu'à l'heure actuelle quelques-unes des plus importantes entreprises des États-Unis soutiennent financièrement et moralement leurs employés qui partent s'installer à leur compte. Les bénéfices dans un tel partenariat seront pour la maison mère et son rejeton.

- Permettez à Trina de travailler chez elle pendant une partie de la journée. Ne donnez cette permission à personne d'autre, à moins que cet employé soit aussi productif que Trina.

> La fonction principale de l'expert n'est pas d'avoir raison plus souvent que les autres, mais d'avoir tort pour des raisons plus sophistiquées.
>
> *– Dr David Butler*

CHAPITRE 7

ALLONS-Y !

D'accord, mais pour faire quoi ?

Si vous deviez marcher sur les murs de cette figure dans le sens des aiguilles d'une montre, vous penseriez à coup sûr que vous escaladez des marches. Vous auriez l'impression d'être destiné aux plus hauts sommets. Cependant, vous ne tarderiez pas à réaliser que vous êtes revenu au même niveau qu'au début. Peu importe l'énergie que vous mettez à escalader les marches, les niveaux plus élevés ne sont qu'illusions !

C'est exactement le même genre d'illusion que provoque toute activité dont les objectifs ne sont pas bien définis. Beaucoup de personnes interprètent de travers des activités mal planifiées et croient que ce sont elles qui donnent un sens à leur vie. Elles finissent par dépenser beaucoup d'énergie pour rien et n'aboutissent nulle part. Il faut agir pour atteindre les sommets les plus hauts, cependant, nous n'atteignons ces sommets que si nos objectifs sont bien arrêtés. Il faut tout d'abord définir les destinations dignes d'intérêt que nous nous donnons si nous voulons les atteindre. Notre parcours aura donc un point d'aboutissement une fois que celui-ci aura été choisi.

La chose la plus importante à faire lorsque nous voulons définir des objectifs est de savoir où nous voulons aller et ce que nous voulons accomplir. Une chose nous empêche d'obtenir ce que nous voulons de la vie et c'est de ne pas savoir ce que nous voulons au juste. Nos parents veulent que nous désirions certaines choses. Nos amis aussi. La société aussi, sans compter les publicitaires. Voilà pour ce que nous ne voulons pas. La question à se poser est: «Que désirons-nous exactement pour nous-mêmes?»

Comment se fait-il qu'un si grand nombre de personnes ne savent pas ce qu'elles veulent? Nous n'avons pas vraiment investi beaucoup d'efforts pour trouver ce que nous voulons. Oui, que voulons-nous faire de notre vie? Nous pourrons le découvrir si nous prenons le temps d'apprendre à nous connaître. Lorsque nous aurons découvert qui nous sommes, nous saurons ce que nous voulons et où nous voulons nous rendre, sans que d'aimables conseilleurs nous disent ce qui, à leurs yeux, a de l'importance pour nous.

> *Il est aussi difficile d'atteindre une destination que vous ne connaissez pas que de revenir d'un endroit où vous n'êtes jamais allé.*
>
> *– Zig Ziglar*

Croyez-le ou non, il n'y a rien de plus créatif que de se fixer un objectif!

Peut-on considérer le fait de se fixer des objectifs comme étant une activité structurée? La créativité n'a-t-elle pas besoin d'activités non structurées? La réponse à ces deux questions est oui. Rappelez-vous qu'une réussite créatrice relève d'une réflexion approfondie et d'une réflexion superficielle. Ces deux façons de réfléchir se traduisent respectivement par des activités cérébrales structurées et non structurées. En nous fixant des buts, nous ajoutons une structure à notre mission.

As-tu pensé que la découverte de toi-même pouvait t'amener à attendre de la vie des choses bien plus intéressantes que de savoir que, dans cinq ans, comme d'habitude, tu seras en train de manger ton casse-croûte...

Pour innover, il est essentiel de planifier. Bien sûr la majorité de nos projets échouent! Quelqu'un a déjà fait la remarque suivante: «Tous les projets échouent mais leur planification a une valeur inestimable.» La majorité des projets que nous échafaudons n'aboutissent pas comme nous le voulons.

Cela signifie qu'une grande partie de nos objectifs ne sera pas atteinte de la manière dont nous l'avions définie ni dans le laps de temps que nous avions prévu. Il n'en reste pas moins qu'il est extrêmement important de se fixer des objectifs.

Ces derniers nous donnent l'occasion de lutter pour quelque chose, ce que nous ne ferions pas autrement. Ils nous donnent un but. Une fois ce but fixé et la voie à suivre tracée, nous avons des raisons de faire preuve d'innovation et de nous montrer créatifs. Il serait en effet peu sensé de rechercher de nombreuses solutions sans savoir ce que nous voulons. Les gens ont tendance à être plus créatifs lorsqu'ils ont un but à atteindre.

Beaucoup de personnes et d'entreprises déploient toute la puissance de leur créativité lorsqu'un problème ou un désastre se présente. Ils répondent de façon créative parce qu'il y a urgence. Après le succès que Apple Computer Inc. remporta grâce à l'ordinateur personnel, IBM n'a pas eu d'autre choix que d'en inventer un pour pouvoir bénéficier d'une partie de ce marché lucratif. Le but était défini : concevoir un nouvel ordinateur personnel en un temps record. IBM a réagi en formant une équipe de directeurs et de concepteurs qui ont travaillé indépendamment les uns des autres à partir du bureau central d'IBM. Cela a permis au groupe de travailler dans un environnement propice aux innovations. Un objectif bien défini avait déclenché ce dont avaient besoin les directeurs et les concepteurs d'IBM pour les motiver à utiliser leur créativité. Le résultat obtenu a été l'ordinateur personnel d'IBM, dont le succès s'est révélé incontestable.

Les raisons pour lesquelles la plupart des gens n'agissent pas

Les chercheurs soutiennent que seulement dix pour cent des Nord-Américains possèdent des objectifs bien définis. Ce chiffre peut paraître étonnamment bas, dans un pays réputé pour son grand nombre de citoyens doués. Néanmoins, dix pour cent de plusieurs centaines de millions de personnes se traduit par un nombre appréciable de gens entreprenants poursuivant des buts dans

Donnez-moi un magasinier avec un objectif et je vous livrerai un homme qui marquera l'histoire. Donnez-moi un homme sans objectif et je vous livrerai un magasinier.

– J.C. Penney

la vie. Ces personnes constituent la majorité de celles qui agissent. Elles suivent une direction et font progresser les choses. Elles se fixent des objectifs élevés et arrivent à atteindre la majorité d'entre eux.

(Qu'en est-il du reste de la population? Qu'est-ce qui empêche ces gens de prendre le temps nécessaire pour se fixer des buts et faire en sorte qu'ils aboutissent? Voici quelques raisons pour lesquelles on ne se fixe pas d'objectifs:

- Les gens ne sont pas convaincus de l'importance de s'en fixer.

- La plupart des gens ne savent pas ce qu'ils veulent faire de leur vie.

- La crainte de ne pas atteindre son ou ses objectifs gêne beaucoup de gens.

- Certaines personnes ont une estime d'elles-mêmes tellement basse qu'elles ne croient pas mériter d'atteindre leurs buts.

Il existe une raison supplémentaire. Pour se fixer des objectifs, il faut des efforts et de la discipline. Ensuite, il faut encore plus d'efforts et de discipline pour les atteindre, et il en faut encore plus pour suivre de près nos buts et s'en fixer de nouveaux. Cela semble si exigeant que beaucoup de gens préfèrent ne pas se fixer d'objectifs, pour ne pas avoir à travailler pour les atteindre.

Notre feuille locale, le *Edmonton Sun*, publie tous les jours la photo d'une jeune femme pas très habillée que le quotidien appelle, «notre rayon de soleil de la journée». La légende que l'on pouvait lire un jour sous la photo d'une certaine Shona, le rayon de soleil de l'heure, disait ceci: «Shona, une monitrice de culture physique, a de l'ambition et ira très loin dans la vie. Avec le physique qu'elle a, nous sommes persuadés qu'elle réussira sans aucun problème.» Je pense que si Shona ne s'est pas fixé de buts plus nobles que d'étaler ses rondeurs, elle ne réussira pas grand-chose, peu importe le fait que la majorité des lecteurs masculins – moi en premier – aient apprécié ses charmes plastiques.

Exercice 7.1 – Exemples typiques d'objectifs qui ne fonctionnent pas

Voici les objectifs que certaines personnes se fixent. Quels sont ceux qui ont été bien définis?

a) Posséder un revenu plus élevé.

b) Arrêter de fumer.

c) Écrire un livre.

d) Devenir un spécialiste dans un domaine particulier.

e) Lire un plus grand nombre de livres au cours de l'année à venir.

Tous ces buts, comme ceux de Shona, peuvent être améliorés. Les buts bien définis doivent répondre aux critères suivants et doivent donc:

> *Principe de créativité:*
> Définissez vos objectifs

- être consignés par écrit;
- être clairement définis et détaillés;
- être réalistes, réalisables et quantifiables;
- comporter une date limite et un coût à ne pas dépasser.

Finalement, on doit définir un plan d'action pour aller de l'avant. Ce plan établira ce que nous devons faire pour arriver là où nous voulons arriver. Il définit les mesures que nous devons absolument prendre pour poursuivre nos buts.

Le but ultime n'en est pas un

Les anciens dictons soulignent l'importance de s'engager à fond dans le processus qui nous permet d'atteindre nos buts. Ce processus est, en effet, plus important que le but lui-même. Les personnes qui font preuve de créativité tirent plus de satisfaction des efforts fournis que de l'atteinte des objectifs qu'elles se sont fixés. La satisfaction que l'on obtient lorsque le but est atteint, peu importe lequel, est en général de courte durée. Beaucoup de personnes dont l'objectif principal est de devenir riches auront la

> *J'ai toujours voulu être quelqu'un de spécial, mais j'aurais dû préciser davantage.*
> *– Lily Tomlin*

surprise de leur vie. Un groupe de gagnants à la loterie de New York a vécu exactement le contraire de ce que l'on pouvait s'attendre de gens ayant décroché la cagnotte. Ils ont formé le Cercle des Millionnaires et s'occupent de traiter ce que ses membres ont surnommé «Le syndrome dépressif des gagnants à la loterie».

Les gens devenus millionnaires à force de travail nous disent que les buts à atteindre sont moins importants à leurs yeux que les moyens utilisés pour y parvenir. La plupart des entrepreneurs qui ont réussi sont d'avis que ce qu'ils ont préféré, c'est le chemin qu'il ont suivi pour réussir. Certains hommes d'affaires atteignent leur but – l'indépendance financière – et décident ensuite de relaxer. La majorité d'entre eux s'ennuie royalement au bout de deux ou trois mois et se donnent alors de nouvelles visées. Les chefs d'entreprise manquent très rarement d'idées pour se fixer des buts parce qu'ils sont constamment à la recherche d'objectifs à atteindre.

La route vers le paradis est le paradis lui-même.
– Sainte Catherine de Sienne

Les personnes à la retraite nous montrent ostensiblement que les objectifs sont loin d'être l'alpha et l'oméga de l'existence. Beaucoup de personnes qui, finalement, atteignent enfin leur but, c'est-à-dire la retraite, découvrent que leur vie est alors bien pire qu'avant. En fait, certains retraités ne vivent pas très longtemps après avoir décroché. Ils deviennent dépressifs parce qu'ils se trouvent face à un manque d'objectifs à poursuivre et ce sentiment de vide existe parce qu'ils sont sans but. Ceux qui vivent bien leur retraite ne sont, en fait, pas des retraités au sens général du terme, car la retraite est également un défi.

Robert Louis Stevenson dit : « Voyager tout en gardant l'espoir est bien mieux que d'arriver à destination. » Les personnes douées de créativité le savent bien. Lorsque le but à atteindre devient la route à poursuivre, cela change notre vie. La créativité vient plus facilement. Les échecs sont perçus comme des réussites et perdre devient synonyme de gagner. La route et la destination se confondent.

Pourquoi courir aussi vite lorsque vous vous trouvez sur la mauvaise route?
– W.G. Benham

Comment réussir à coup sûr en affaires?

Sigmund Freud a déclaré que le travail et l'amour sont les deux clés pour mener une vie heureuse en tant que personne. Si c'est vraiment le cas, pourquoi existe-t-il autant de personnes qui travaillent et sont malheureuses dans leur vie de couple, même si celle-ci est satisfaisante? Le problème, c'est qu'elles n'ont pas réussi leur carrière.

Exercice 7.2 – De tous ces énoncés, lesquels sont indispensables pour réussir sa carrière ?
- Avoir une intelligence supérieure.
- Jouir de talents particuliers.
- Travailler dans des domaines comme la médecine, le droit ou l'architecture.
- Avoir de la chance.
- Connaître les bonnes personnes.
- Posséder un niveau d'instruction supérieur.
- Travailler d'arrache-pied.

Cela vous surprendra peut-être, mais rien de ce que je viens de vous nommer n'est nécessaire pour réussir sa carrière. Des millions de personnes très instruites, bourrées de talents et très intelligentes n'ont jamais eu de succès dans leur carrière. D'autre part, il existe, en Amérique du Nord, une foule de personnes qui travaillent dix à quatorze heures par jour et qui n'ont pas plus réussi leur carrière. Un comptable qui gagne 30 000 dollars par an dans un emploi sans avenir vit sa carrière comme un échec, au même titre que l'avocat qui gagne plus de 150 000 dollars par an et qui n'aime pas son travail.

Ce que j'appelle «réussir sa carrière», c'est trouver du plaisir et de la satisfaction dans l'emploi que l'on a choisi. Des études montrent que plus de 80 pour cent de la population n'aime pas ce qu'elle fait pour vivre. Près de 25 pour cent de ces personnes estiment qu'elles font un travail «stupide», un job pour lequel elles sont surqualifiées. Soit dit en passant, advenant le cas où vous ne seriez pas d'accord avec moi

> La plupart des gens ont des emplois dénués de sens. Lorsqu'ils prennent leur retraite, cette vérité éclate au grand jour.
> – *Brendan Francis*

et que, pour vous, réussir signifie devenir riche, sachez qu'il existe des millions de personnes très intelligentes, possédant une excellente éducation et de nombreux talents, qui travaillent très fort toute leur vie et finissent ruinées au moment de prendre leur retraite.

Je pars du principe que pour vraiment réussir sa carrière, il nous faut absolument un travail qui nous stimule au point que nous serions d'accord pour travailler gratuitement, seulement pour connaître la satisfaction qu'il vous apporte. Pour que ce travail nous donne toute satisfaction, il faut qu'il nous passionne. Matthew Fox, l'auteur du livre *Reinvention of Work* (Le travail réinventé), écrit:

Le travail est quelque chose qui atteint notre cœur et qui doit toucher le cœur des autres. Si je devais vous poser une seule question pour révéler la dimension de votre travail, je vous demanderais: «Quel aspect de votre travail vous rend heureux et quel bonheur ce travail procure-t-il aux autres?»

> Si vous êtes passionnés par ce que vous faites, il n'y aura pas de différence entre votre travail et vos loisirs. Et d'après l'ancienne acception du mot «travail», vous ne devriez pas «travailler» un jour de plus dans votre vie[7]. Cependant, ce n'est pas à moi de décider pour vous de ce qui devrait être votre passion. Voilà une chose que vous devez faire vous-même.

La raison pour laquelle tant de baby-boomers souffrent de dépression au beau milieu de leur vie, c'est qu'ils n'ont jamais eu une carrière ou un emploi qui soit devenu une passion pour eux. Au cours des années 1980, la plupart des gens avaient un travail ou une carrière qui leur rapportait assez d'argent pour vivre une vie de yuppies matérialistes à outrance. Il est bien possible qu'à leurs yeux leur carrière soit une réussite. Ils ont réussi à grimper au sommet de l'échelle sociale et ont acquis beaucoup de biens matériels. Cependant, leur mariage est un échec, leurs enfants sont dans un état terrible et eux-mêmes vivent un stress excessif et des frustrations.

La chose essentielle pour poursuivre une carrière fructueuse est de faire quelque chose qui nous plaît et de se placer au service des autres de façon positive. Les employés mécontents de leur emploi et qui changent de travail pour obtenir une vie plus satisfaisante n'avanceront pas dans leur vie professionnelle à moins qu'ils ne trouvent un emploi qui coïncide ou qui aille dans le sens de leur mission personnelle. La qualité ou le mode de vie que l'on désire sont des critères de sélection d'emploi plus importants que les seuls critères financiers. Un équilibre entre le travail et la vie privée est beaucoup plus important que l'acquisition de richesses ou de biens matériels.

---

7. Selon l'étymologie latine du terme, «travailler» signifie «torturer à l'aide d'un tripalium», une sorte de chevalet. (N.d.T.)

Le manque d'estime de soi constitue l'obstacle majeur à la réussite d'une carrière. La plupart des gens sont prisonniers de la conception de la réussite qui leur a été imposée par leurs parents et par la société. Bon nombre de personnes ne trouvent pas le bonheur dans leur carrière parce qu'elles occupent un emploi qui ne correspond pas à leurs désirs, car elles ont obéi aux rêves de quelqu'un d'autre plutôt que d'obéir aux leurs. Dans les cas extrêmes, certaines personnes sont tellement malheureuses dans leur emploi que celui-ci génère chez elles un stress permanent.

> *Plus le titre est long, moins l'emploi a d'importance.*
>
> – George McGovern

Si votre emploi est médiocre, la solution ne réside pas dans l'argent supplémentaire que vous pourriez gagner. C'est un mythe que de se dire: «Si je gagnais un peu plus en faisant le même travail, je serais plus heureux.» La réciproque est souvent vraie: si vous étiez plus heureux à faire ce que vous faites, vous empocheriez plus d'argent. Si votre travail ne correspond pas à vos valeurs personnelles et à vos propres intérêts, vous serez insatisfait dans votre emploi, indépendamment de l'argent qu'il vous rapporte.

Vous devriez essayer de trouver un emploi qui vous enrichisse physiquement et spirituellement. Il vous faut un emploi qui vous rapporte des louanges, des augmentations, des avancements d'échelons, des possibilités d'avancement. Il vous faut un emploi qui vous permette d'exercer un certain contrôle sur votre existence et vous offre de la souplesse. Votre objectif est de trouver un emploi qui fasse appel à votre créativité. Essayez d'utiliser vos talents d'artiste ou vos compétences en tant que chef pour faire avancer votre carrière. Vous devez être réaliste: il faut que vous mettiez votre créativité et toutes vos ressources au service de votre carrière.

Pour choisir une carrière en rapport avec vos objectifs ou avec la mission que vous vous êtes donnés, vous devez être conscient de vos aspirations. Écoutez votre voix intérieure, et non ce que les autres vous disent de faire. Si vous êtes passionné par votre travail, vous serez très motivé pour réaliser de grandes choses, et vos chances de réussite sur le plan monétaire s'en trouveront augmentées.

Votre lieu de travail peut être passionnant, rempli d'action, stimulant, innovateur et peut constituer un défi. Il peut aussi être ennuyeux, routinier, frustrant, sinistre et monotone. Assurez-vous d'avoir un emploi que vous aimerez, qui vous satisfera et qui vous offrira suffisamment d'espace pour vous permettre de vous épanouir et d'apprendre. Il faut que l'on vous apprécie pour vos nouvelles idées, votre énergie positive et votre capacité de production.

> Soyez ce que vous êtes et non ce que vous n'êtes pas, parce que si vous n'êtes pas ce que vous êtes, vous êtes ce que vous n'êtes pas.
>
> – Luther D. Price

Vous venez d'être victime de l'un de ces dégraissages d'organigramme ou vous êtes en passe de l'être ? Il se pourrait bien qu'il s'agisse d'une bénédiction déguisée. Vous pourrez alors changer une situation négative en une situation positive. C'est maintenant qu'il faut défier votre besoin de sécurité et votre peur du risque. Il se peut que partir à la recherche d'un emploi normal paraisse être à vos yeux la solution idéale, mais vous vous coupez peut-être l'herbe sous le pied. C'est peut-être le moment idéal de chercher un emploi créateur qui vous comblera. Bien sûr, il y a la peur de l'inconnu, mais le fait de partir à la recherche d'un emploi ordinaire risque de vous ramener à la case départ au bout de six mois ou d'un an. Il est fort probable que vous obtiendrez plus de sécurité dans votre emploi si vous recherchez une carrière en gardant à l'esprit la mission personnelle que vous vous êtes assignée. Et si vous décidez de monter votre propre commerce, vous n'aurez plus besoin de travailler pour qui que ce soit d'autre.

Mon expérience d'auteur et de conférencier me permet de vous dire qu'il y a beaucoup d'avantages à ne pas travailler pour quelqu'un d'autre. J'ai payé le prix pour chercher et découvrir ce que je voulais faire, et je fais maintenant ce que je préfère et à mes propres conditions. Aucune vie ne peut se comparer à celle-là. Quelle manière extraordinaire de gagner sa vie ! Pourquoi travailler pour un des cent millions de patrons possibles alors que je peux travailler pour mon patron favori, c'est-à-dire *moi ?* Comme je vous l'ai déjà dit, je me suis donné un horaire de travail de quatre heures par jour. Je me permets également de ne pas travailler pendant les mois qui ne comportent pas de « r ». Il se peut qu'en travaillant moins, je ne gagne pas autant d'argent que si je travaillais douze heures par jour. Cependant, tout est relatif.

> Écrivez sans rémunération jusqu'à ce que quelqu'un vous en propose une. Si, d'ici trois ans, vous n'avez pas reçu d'offre, il faudra réexaminer la situation et considérer cela comme un signe certain que votre avenir se trouve plutôt dans une exploitation forestière.
>
> – Mark Twain

Mon revenu paraît vraiment élevé, si on le compare à celui des employés qui se démènent dans le lave-auto du quartier.

Vous aurez plus de chances d'être satisfait de votre emploi si vous abandonnez les schémas traditionnels en travaillant pour vous, pour votre propre entreprise, ou encore à contrat. L'avantage obtenu sera de n'avoir personne pour vous dire ce que vous devez faire. Vous aurez alors le contrôle de votre lieu de travail, de votre horaire et de votre manière de fonctionner.

Vous aurez en main la clé de la réussite si vous utilisez vos talents particuliers pour faire quelque chose que vous aimez. Ron Smotherman, dans son livre *Winning Through Enlightenment* (Gagner de manière éclairée), a déclaré: « La satisfaction personnelle n'appartient qu'à un petit groupe privilégié. Il n'en existe pas beaucoup. » Voulez-vous faire partie de ce groupe sélect? Au cas où votre réponse serait oui, vous devrez répondre à ces importantes questions: Quel est votre point fort? Quels talents possédez-vous? Quelles sont vos forces et vos faiblesses? Quel aspect de votre caractère voulez-vous améliorer pour pouvoir l'utiliser dans une nouvelle carrière? Aimeriez-vous faire un genre de travail particulier sans être payé, seulement pour la satisfaction que vous en tirerez? Vous devrez continuer à vous poser ces questions pendant un an ou plus, si nécessaire. Vos réponses vous conduiront à un emploi qui pourra vous passionner.

Voici le texte d'une lettre que j'ai reçue de Linda W., une Torontoise qui, après avoir lu mon livre, *L'Art de ne pas travailler*, a décidé de quitter l'emploi stable qu'elle possédait dans la fonction publique de l'Ontario pour déménager en Colombie-Britannique.

Ernie, Ernie, Ernie,

Je viens de terminer de lire votre livre *L'Art de ne pas travailler* et je l'adore! Vous m'avez donné le coup de pouce dont j'avais besoin pour lever mes pénates et partir pour la Colombie-Britannique.

Je suis écrivain à temps partiel, je donne des conférences d'une grande spiritualité, et j'ai décidé de me diriger vers les montagnes de la Colombie-Britannique (peu importe que nous soyons en période de récession ou de dépression). Je me suis dit: « Au

> diable, la sécurité de mon travail de fonctionnaire. Salut le béton,
> je m'en vais!»
>
> Vous m'avez fait entendre cette petite voix qui disait: «Allez,
> vas-y, tu n'es pas une idiote. Tu trouveras la paix de l'esprit.»
>
> Bien vôtre,
>
> Linda W.

Vous remarquerez que Linda n'a pas utilisé d'excuses telles: «Nous sommes en pleine récession», «Je ne peux pas abandonner un emploi protégé au gouvernement» ou encore: «Je ne possède pas les connaissances nécessaires pour me lancer dans un autre domaine.» Elle a écouté sa petite voix intérieure qui lui disait que l'heure de partir était arrivée. Je suis certain qu'elle a dû ressentir de la frayeur, mais elle l'a maîtrisée en y faisant face. Elle savait qu'elle devait prendre des risques pour partir à l'aventure et vivre pleinement sa vie.

À un moment donné, vous avez ressenti ce que vous vouliez vraiment faire, mais vous avez préféré choisir une carrière ou un emploi tout à fait à l'opposé de ce qui vous passionnait. Au cours des années, vous avez pu refouler ce rêve d'une brillante carrière, après avoir conclu qu'il ne s'agissait que d'un fantasme inaccessible. Voici venue l'heure d'explorer vos rêves et vos fantasmes les plus fous pour qu'ils vous donnent des indices sur le genre de carrière que vous aimeriez poursuivre.

La vie devient beaucoup plus facile lorsque vous faites ce que vous voulez, les choses que vous aimez et dans lesquelles vous excellez. Il existe au moins quatre bonnes raisons à cela. La première, c'est la satisfaction que vous procure votre vie. La seconde, c'est que vous allez exceller dans ce que vous faites. La troisième, c'est que gagner de l'argent sera plus facile. La quatrième, c'est le sentiment de bien-être que vous allez ressentir en voyant la façon dont vous gagnez votre argent.

> *Vivez selon vos convictions et vous ferez tourner le monde.*
> *– Henry David Thoreau*

Une vie sans objectif est une vie sans gouvernail

Dans son livre *The Master Game* (Le Grand Jeu), R.S. De Ropp a déclaré : «Avant tout, recherchez un jeu qui vaille la peine d'être joué. Voici l'oracle de l'homme moderne. Lorsque vous aurez trouvé votre jeu, jouez avec force, comme si votre vie et votre santé mentale en dépendaient.» (Elles en dépendent vraiment.)

Lorsque nous contribuons de façon utile à ce qui passe dans le monde, nous gagnons le respect de nous-même et celui des autres. Il est normal de désirer un objectif dans la vie. Le besoin d'être utile à quelqu'un ou à quelque chose est essentiel à notre bonheur, tout spécialement lorsque nous vieillissons. Définissez clairement qui vous êtes et ce que vous désirez de la vie. Vous devriez avoir une excellente raison de vous lever tous les matins. Vous aurez l'impression légitime que votre vie a un sens pour les autres lorsque vous vous serez donné un vrai but ou une mission personnelle.

> *Le monde est plein de personnes de bonne volonté. Certaines ont la volonté de travailler et les autres, de les laisser travailler.*
> *– Robert Frost*

Toute vie a besoin d'une motivation et personne ne doit en manquer. Vous devez découvrir ou créer vos propres motivations, si vous voulez vraiment avoir l'impression que vous apportez quelque chose à notre monde. Pour découvrir vos motivations, suivez votre créativité.

Ce n'est pas parce que vous n'avez pas découvert votre mission personnelle à l'âge de trente ou de quarante ans que cela signifie que cela n'arrivera pas. La plupart des gens ne découvrent pas ce qu'ils veulent vraiment faire avant d'atteindre l'âge mûr ou même plus tard. Peu importe votre âge, il n'est jamais trop tard pour vous réinventer, pour découvrir votre mission et la poursuivre avec ténacité. Si vous voyez que vous avez besoin de retourner étudier pour entreprendre la carrière que vous souhaitez, retournez étudier. C'est d'ailleurs ici que l'on entend l'excuse classique : «Mais j'aurai quarante-neuf ou cinquante-trois ans, quand j'aurai terminé.» Quoi que vous fassiez, vous aurez cinquante-trois ans dans quatre ans. Si vous ne faites pas ce que vous avez à faire, vous aurez cinquante-trois ans et vous serez aussi malheureux ou encore plus que vous ne l'êtes à l'heure actuelle. Votre mission personnelle se présentera à vous si vous êtes prêt. Voici les exemples de trois personnes qui se sont engagées dans une mission personnelle à un âge avancé :

- Red Skelton, avant sa mort, en 1997, à l'âge de quatre-vingt-quatre ans, démontrait beaucoup plus d'allant dans la vie que bien des personnes de vingt ou trente ans. Pourquoi ? Sa mission personnelle était de divertir les autres, de les rendre heureux. Skelton ne dormait que trois heures par nuit, se couchant à 2 h 30 et se levant à 5 h 30. Il passait son temps à écrire des histoires, à composer de la musique et à peindre. À l'âge de quatre-vingts ans, il donnait encore plus de soixante-quinze spectacles par an !

- Martin Miller, de l'Indiana, travaillait à plein temps à l'âge de quatre-vingt-dix-sept ans en faisant du lobbying pour les droits des personnes âgées.

- Mary Baker Eddy avait quatre-vingt-sept ans lorsqu'elle a décidé de suivre la voie de sa mission personnelle : démarrer un nouveau journal à tendance religieuse. Elle l'a nommé le *Christian Science Monitor*[8].

Vous ne devez pas renoncer à poursuivre vos objectifs seulement pour faire plaisir aux autres ou pour leur livrer concurrence. Le secret, c'est de vous donner un but qui vous passionne. Si vous parvenez à vous donner une mission ultime à la fin de votre vie, vous serez habité par une force qui fera que votre existence continuera à être passionnante et intéressante. Cela signifiera que vous continuerez à croître et à apprendre.

Lorsque vous découvrirez votre objectif, vous aurez la pierre angulaire pour développer votre créativité. Votre plus grand

> *Faites en sorte que ce que vous ne pouvez pas faire ne soit pas une entrave à ce que vous pouvez faire.*
>
> *– John Wooden*

défi sera encore de regarder à l'intérieur de vous-même et de découvrir ce qui donnera un but à votre vie et ensuite, d'atteindre ce dernier. Votre vie ne devrait jamais être dénuée d'objectifs. Votre mission personnelle doit être reliée à ce que vous êtes et à vos rêves. Si c'est le cas, vous

---

8. Journal très respecté, y compris par les personnes qui ne partagent pas les convictions des membres de l'Église du Christ, scientiste. (N.d.T)

verrez que chacune de vos tâches, chacun de vos actes, chaque situation captera toute votre attention. Lorsque vous découvrirez votre mission personnelle, votre vie aura un tracé qui vous appartiendra en propre.

Vos objectifs ont bien pu changer s'ils ont été définis il y a quelque temps. C'est ce qui est arrivé à Linda W., la personne qui m'avait écrit la lettre. Le moment est peut-être venu de revoir vos objectifs et de décider ce que vous voulez faire de votre vie.

C'est votre défi à vous, et il n'appartient à personne d'autre de trouver, d'accepter et de devenir celui ou celle que vous pouvez devenir. Vous devez faire face à la réalité et accepter qu'absolument tout vaut la peine d'être atteint dans la vie : l'aventure, la tranquillité d'esprit, l'amour, un épanouissement spirituel, la satisfaction et le bonheur ont un prix. Tout ce qui améliore notre existence exige que l'on agisse et que l'on fournisse des efforts. Vous connaîtrez beaucoup de frustrations si vous pensez autrement.

Souvenez-vous qu'il est plus satisfaisant d'escalader une montagne que de la redescendre en glissant sur les fesses. Il est inutile de rester assis en attendant que quelqu'un d'autre allume le feu dans la cheminée. Allumez votre propre feu, au lieu d'attendre d'être réchauffé par celui de quelqu'un d'autre, et votre vie vaudra la peine d'être vécue. (Et toutes les vies qui suivront, si vous croyez en la réincarnation.)

CHAPITRE 8

AU ROYAUME DES AVEUGLES, LES BORGNES SONT ROIS

Vous pouvez observer énormément en ne faisant que regarder

Il est toujours intéressant d'écouter ce que les participants à mes séminaires ont à dire lorsqu'ils regardent la figure ci-dessus. Certains d'entre eux ne voient rien du tout. Et vous, que voyez-vous ?

Un consultant en restauration des provinces de l'Ouest canadien gagne fort bien sa vie en sauvant des restaurants de la faillite. Que fait-il que les propriétaires de ces restaurants ne font pas ? Pas grand-chose, sauf qu'il voit ce qui est évident. Ce consultant relève tout ce qui est inefficace, comme la prolifération d'entrées au menu. Il est aussi capable de se rendre compte que les employés et l'équipement peuvent se trouver mobilisés dans des activités non rentables ou inutiles.

On effectue alors des changements qui pourraient aussi bien être recommandés par n'importe qui, excepté les personnes qui travaillent au restaurant. Un grand nombre de ces établissements évitent la faillite parce qu'on indique à leurs propriétaires les problèmes les plus criants. Sans ce consultant, ils ne verraient pas ce qui est évident, et ces commerces seraient placés sous administration judiciaire.

> *La meilleure façon de réaliser vos rêves est de vous réveiller.*
>
> *– Paul Valéry*

La majorité du temps, les meilleures solutions nous sautent aux yeux et nous ne les voyons pas. Ce qui est évident nous échappe. Yogi Berra[9] l'a bien énoncé: «Vous pourrez observer beaucoup en vous contentant de regarder.»

Un personnage de *Catch 22*, le best-seller de Joseph Heller, avait des mouches dans les yeux. Il ne pouvait pas les voir parce qu'elles lui bouchaient la vue. Nous nous comportons souvent comme lui.

Au fait, il y a une bicyclette, dans l'image précédente. Une fois que vous savez qu'elle est là, essayez de ne pas la voir. Beaucoup de choses fonctionnent de cette façon: nous ne voyons pas ce qui est évident. Cependant, dès qu'on nous le montre, nous ne pouvons pas faire autrement que de le voir.

La solution de l'exercice 8.1 est évidente, mais on passe facilement à côté. Donnez-vous trente secondes pour faire cet exercice.

Exercice 8.1 – Le plus lent gagne la course

Un homme d'affaires un peu excentrique voulait léguer son empire financier et sa fortune à l'un de ses deux fils. Il décida qu'une course de chevaux déciderait du vainqueur. Le fils qui posséderait le cheval le plus lent deviendrait l'heureux propriétaire de tous les biens. Chacun des deux fils avait peur que l'autre triche en forçant son cheval à trotter plus lentement que d'habitude. Les deux fils allèrent alors rencontrer un vieux sage pour

---

9. Célèbre joueur de base-ball américain qui se distingua au sein des équipes suivantes: les Mets de New York, les Yankees de New York et les Astros de Houston.

lui demander quoi faire. Ce sage leur donna immédiatement la réponse et leur dit en trois mots comment ils pourraient s'assurer que la course serait loyale. Quels sont ces trois mots?

Au cas où vous seriez un de ces deux fils, y a-t-il quelque chose que vous pourriez faire pour vous assurer de remporter la victoire?

(Voir les notes de chapitre, page 134, pour les solutions.)

Pourquoi n'y ai-je pas pensé?

Voici quelques exemples de personnes douées de créativité qui ont profité du fait qu'elles voyaient des solutions qui faisaient dire aux autres: « Pourquoi n'y ai-je pas pensé? »

- Aimeriez-vous publier un bulletin pour lequel les abonnés vous enverraient la plupart des articles dont vous avez besoin? Amy Dacyczyn a abandonné sa carrière de graphiste pour se consacrer à sa famille. En sept ans, en faisant des économies plutôt qu'en rapportant de l'argent grâce à son salaire, Amy et son mari, qui avaient alors un revenu de moins de 30 000 $ par an, ont réussi à économiser 49 000 $ pour s'acheter une maison, à faire des achats importants pour une somme de 38 000 $ et à liquider leurs dettes. Ils ont réussi cet exploit malgré le fait qu'ils avaient quatre enfants à nourrir. Les amies d'Amy l'économe surnommaient celle-ci « la pingre zélée ». Avec le temps, Amy en eut assez à force d'entendre des gens très intelligents qui, pendant des débats télévisés, colportaient des mythes dans le style: « De nos jours, une famille doit avoir deux revenus pour survivre » ou encore « Les familles d'aujourd'hui n'ont plus les moyens d'acheter une maison ». En juin 1990, elle entreprit de faire paraître *The Tightwad Gazette*, une brochure qui encourage l'économie comme mode de vie alternatif. Les abonnements à sa brochure grimpèrent à 100 000 exemplaires en deux ans. Amy ne considère pas qu'elle

Principe de créativité:

Recherchez ce qui est évident

connaît toutes les solutions aux problèmes d'économie familiale et sollicite la participation de ses lecteurs. Cela lui fournit une abondante source d'articles qui permettent à sa brochure de maintenir l'intérêt des lecteurs et d'offrir de nouvelles idées.

- David Chilton vend de l'information qu'il qualifie comme n'étant pas nouvelle, mais présentée d'une nouvelle manière. En 1980, Chilton, qui était alors un agent de change et un planificateur financier, faisait face à un problème : il donnait à lire à ses clients différents livres sur la finance et les placements, mais il avait découvert, à sa grande déception, que la plupart de ses clients ne les lisaient pas. Ces doctes publications avaient le don de décourager les lecteurs à cause des statistiques ennuyantes, des graphiques et des tableaux qu'ils contenaient. C'est alors que Chilton décida d'écrire un manuel qui fournissait de manière originale les principes de base sur les finances personnelles et la manière de faire des placements. Il s'empara de ce sujet complexe et le vulgarisa dans un ouvrage de son cru qu'il intitula *The Wealthy Barber* (Le riche barbier). Les maisons d'édition rejetèrent l'idée même de ce livre de vulgarisation sur la finance qui avait, selon eux, le défaut de n'être point assommant. Chilton décida donc de publier lui-même son bouquin à compte d'auteur. Celui-ci ayant connu un grand succès en librairie, une maison d'édition racheta les droits. Plus d'un million d'exemplaires se sont envolés à l'heure actuelle, et il continue à très bien se vendre. Le livre de Chilton a adopté une approche non conventionnelle pour traiter d'un sujet tout ce qu'il y a de plus conventionnel, de sorte que d'autres planificateurs financiers se sont dit : « Pourquoi n'y ai-je pas pensé ? »

> Il faut avoir un esprit hors de l'ordinaire pour entreprendre l'analyse de ce qui est évident.
>
> – *Alfred North Whitehead*

- Robert Plath, un ancien pilote de la compagnie Northwest Orient, devait transporter plus de vingt kilos de manuels pour chaque vol. Comme il était un peu paresseux, il eut l'idée de visser un dispositif à roulettes sous le sac qui contenait ses livres. Les autres pilotes l'ont pris pour une mauviette. Le fait d'être une mauviette nantie d'un don d'observation s'est avéré très payant. Plath a inventé la valise *Travelpro Rollaboard*, avec roulettes et manche rétractable. On trouvait déjà à cette époque des sacs à roulettes, mais aux yeux de Plath, ils n'étaient pas très efficaces. Il a donc fait les plans de son premier prototype et a fait construire ses valises en Asie. Au commencement, la réaction des détaillants était assez mitigée. Plath a commencé à vendre ses valises par correspondance à ses anciens collègues de la compagnie aérienne. Puis, les détaillants ont commencé à s'intéresser à son produit et l'ont supplié de leur en donner à vendre. C'est en 1989 que les premières valises ont été vendues, et les ventes ont atteint la somme de plus de 30 millions de dollars depuis ce moment-là. Les observateurs de l'industrie du bagage ont qualifié le *Rollaboard* de Plath comme étant la plus grande invention dans ce domaine depuis les quinze dernières années.

- Au XIXᵉ siècle, les fabricants de bicyclettes ne virent pas la solution évidente qui se présentait à eux. Le dessin de la première bicyclette prévoyait deux roues de même taille, mais, avec le temps, la roue avant devenait de plus en plus grande. Au début, le mécanisme de la pédale était attaché directement à la roue avant (on appelait ce véhicule «le Grand bi»), qui devenait de plus en plus grande au fur et à mesure que l'on désirait une machine plus rapide. Les bicyclettes sont alors devenues ridiculement encombrantes. La solution à ce problème était pourtant bien visible. Un beau jour, quelqu'un a remarqué un dispositif utilisé dans la chaîne de montage des bicyclettes que l'on pouvait également appliquer à ces dernières: l'ensemble chaîne et pignon. Cette personne s'est donc dit: «Pourquoi ne pas l'utiliser également sur les bicyclettes pour tracter la roue arrière?» Et c'est à partir de là que l'on fabriqua des vélos avec deux roues de taille semblable.

> *Le bon sens «commun» n'est pas très commun.*
> *– Proverbe latin*

- Howard Schultz a réussi à créer un véritable engouement pour un produit d'usage courant. Bien que les ventes de café aient décliné depuis les années 1960 pour des raisons de santé, Schultz a fait de Starbucks, la chaîne de cafés dont le siège social est à Seattle, une des entreprises dont la croissance a été une des plus rapides en Amérique du Nord. Dans les années 1980, Schultz a fait un voyage en Italie et a observé la relation presque sentimentale que les Italiens entretenaient avec le café. Il a donc décidé de monter une chaîne de cafés d'après ce qu'il avait vu au pays du bel canto. Il a adapté le produit au goût américain en offrant des cafés *express* normaux et «allongés». Que ce soit à Seattle ou à Vancouver, il est courant de rencontrer des clients fidèles qui dépensent 100 dollars ou plus par mois dans les cafés Starbucks.

Des exercices aux solutions évidentes (qui ne le sont pas pour la majorité des gens)

(Les solutions de ces exercices se trouvent dans les notes de chapitre, page 135.)

Exercice 8.2 – Assortir des chaussettes dans le noir

> Si votre esprit est vide, cela signifie qu'il est prêt à tout et ouvert à toutes les possibilités. Celles-ci sont nombreuses dans l'esprit d'un débutant; elles le sont bien moins dans celui d'un expert.
>
> – *Shunryu Suzuki,*
> *Esprit jeune, esprit neuf*

Il y a cinq mois, un homme a jeté toutes ses vieilles chaussettes et a acheté dix paires de chaussettes noires totalement identiques et quatre paires de chaussettes marron. Depuis, il a perdu trois des chaussettes noires et une marron. Imaginons un soir qu'il y ait une panne d'électricité et qu'il doive sortir. Il est tout habillé, mais il n'a pas mis ses chaussettes ni ses chaussures.

Notre homme est donc incapable de voir quoi que ce soit dans sa chambre, qui est plongée dans le noir. Quel est le nombre minimum de chaussettes qu'il doit sortir du tiroir de sa commode pour être certain d'en avoir une paire de couleur assortie?

Exercice 8.3 – Ce qu'il y a d'évident sur votre clavier de machine à écrire

AZERTYUIOP (clavier français)

QWERTYUIOP (clavier américain)

Comme vous le savez sans doute, ce qui est écrit plus haut représente la première rangée de lettres du clavier d'une machine à écrire. Voici, tout d'abord, une précision importante: la disposition des lettres sur le clavier a été conçue dans les années 1800 pour ralentir la vitesse des dactylos, parce que les touches s'emmêlaient quand elles allaient trop vite. Nous avons, à l'heure actuelle, des claviers perfectionnés tout à fait compatibles avec les machines à écrire électroniques les plus rapides. Les gens ne les ont pas acceptés parce qu'ils sont hostiles aux changements, ce qui représente une autre façon de bloquer la créativité et les nouveautés. Mais ceci est une autre histoire…

Pouvez-vous me dire quel est le plus long mot qui puisse être écrit en français avec les lettres de la première rangée du clavier? (Si vous le désirez, vous pouvez tenter votre chance en anglais, sur un clavier américain.)

Exercice 8.4 – Trouvons la voie la plus facile

Vous êtes le président de Superior Time Air. Votre semaine a été très dure, car vous avez essayé de mener à bien un certain nombre de projets. Time Air a des vols réguliers à destination de 20 pour cent des villes du Canada et des États-Unis. Un nouveau projet prévoit un service nolisé pour les vacances, qui desservira l'Amérique du Nord.

Vous venez de faire imprimer 15 000 dépliants prêts à être mis sur des présentoirs dans toutes les grandes villes d'Amérique du Nord. Vous essayez maintenant de trouver le moyen le plus rapide de les expédier dans toutes les agences de voyage. La haute saison va commencer et chaque minute compte.

Vous êtes un directeur plein de créativité. Comment vous y prendrez-vous pour faire parvenir ces dépliants à destination le plus rapidement possible?

Exercice 8.5 – L'habit fait le moine

Une banque américaine a réalisé qu'elle devait améliorer son image de marque. Un de ses problèmes consistait à améliorer la tenue vestimentaire de ses employés. La banque était très inquiète de la réaction de ces derniers advenant l'imposition par la direction de quelque norme à ce chapitre. La direction a réussi à résoudre ce problème sans susciter la moindre résistance de la part des employés. Que pensez-vous qu'elle a fait?

> *Lorsqu'il est poussé à un degré hors du commun, le bon sens devient ce que l'on appelle la sagesse.*
> *– Samuel Taylor Coleridge*

Exercice 8.6 – Pourquoi ne s'amusent-ils pas?

Vous êtes le nouveau directeur des centres récréatifs communautaires d'une grande ville. Vous avez remarqué que les enfants ne jouent pas dans les terrains de jeu. Quelqu'un vous a dit que les enfants trouvent les terrains de jeux ennuyeux. Que pouvez-vous faire pour régler le problème?

Exercice 8.7 – Le problème du graffiti

Il y a deux ans, alors que je faisais de la bicyclette dans un quartier résidentiel, j'ai croisé un vieux camion Ford dont les côtés étaient surmontés d'une caisse en bois et l'arrière d'un hayon également fait de quatre planches. Un graffiti («TURD») avait été peint par quelque vandale sur le hayon, tel que représenté sur la figure. Ce mot anglais signifie rien de moins qu'«étron» ou «couillon».

J'ai continué à faire de la bicyclette dans le même quartier pendant les deux semaines suivantes, et j'ai continué à voir le camion avec son graffiti peu flatteur. Je me suis dit que s'il m'avait appartenu, je me serais montré un peu plus créatif, et j'aurais retourné les planches du hayon pour rendre le graffiti illisible.

J'avais cependant omis de voir une solution évidente que le propriétaire a fini par réaliser pour éliminer le problème. Pouvez-vous trouver cette solution qui saute aux yeux ?

Exercice 8.8 – Et tout le lait que vous désirez

Un enseignant a demandé à un élève de nommer sept choses contenant du lait. L'élève a donné sa réponse en dix secondes. Pouvez-vous répondre à la même question dans le même laps de temps ?

Exercice 8.9 – Il est facile de manquer le bateau

Un homme fait du bateau à voiles. Son embarcation file à une vitesse de dix nœuds contre le vent qui souffle à cinq nœuds. Cet homme a trente-huit ans. Son bateau pèse 98 livres et lui pèse 152 livres. Quelle est la nationalité de cet homme ?

Notes de chapitre

Exercice 8.1

Les trois mots sont **échangez vos chevaux**. Pour ce qui est de la deuxième partie de l'exercice, vous pouvez donner un coup de fusil à votre cheval. Vous serez certain qu'il sera le plus lent.

Exercice 8.2

Cet homme doit sortir trois chaussettes du tiroir pour être sûr d'assortir une paire.

Exercice 8.3

Ne fermez pas les yeux sur ce qui est évident. Pour le clavier français, le mot est l'impératif «trayez». Pour le clavier américain, le mot est «typewriter» (machine à écrire).

Exercice 8.4

En tant que directeur, vous devriez appliquer un principe fondamental chez les gestionnaires : *déléguer*, c'est-à-dire confier ce problème à la personne responsable des envois de courrier.

Exercice 8.5

Les employés ont accepté avec enthousiasme la tenue vestimentaire proposée par la direction, parce que celle-ci leur a en quelque sorte refilé le problème. Plutôt que d'imposer une politique sur l'habillement, la direction a nommé un comité chargé d'en établir une. Les employés ont proposé une façon de s'habiller qui a donc reçu l'accord de leurs collègues.

Exercice 8.6

Impliquez les enfants dans la conception des terrains de jeu.

Exercice 8.7

Voici un indice : notez bien la marque du camion. Allez voir l'annexe, page 361, au cas où vous n'auriez pas trouvé la réponse.

Exercice 8.8

Voici la réponse de l'élève : du beurre, du fromage, de la crème glacée et... quatre vaches !

Exercice 8.9

Le navigateur est Chinois. Pourquoi ? D'accord, la solution n'est pas évidente, mais la raison pour laquelle il est Chinois, elle, l'est. (Allez voir l'annexe page 261.)

CHAPITRE 9

ALLEZ AU BOUT
DE VOTRE PENSÉE

Voir double, ou voir mieux

Abraham Lincoln était alors un jeune avocat. Le même jour, il dut plaider deux affaires similaires. Par hasard, le juge était le même aux deux procès, qui relevaient des mêmes principes de droit. Lors du procès qui eut lieu le matin, Lincoln a plaidé en tant qu'avocat de la défense. Sa plaidoirie fut éloquente et il gagna facilement le procès. De façon assez ironique, Lincoln agissait comme avocat de la partie civile dans le procès qui eut lieu dans l'après-midi. Lincoln plaida avec la même ardeur qu'il l'avait fait le matin, à un détail près : il le faisait pour la partie adverse. Le juge, amusé par cet état de choses, lui demanda alors pourquoi son attitude, face à une affaire similaire, avait changé. Lincoln répondit : « Votre Honneur, il se peut que j'aie eu tort ce matin, mais une chose est certaine : je sais que j'ai raison, cet après-midi. »

> Le commencement de la sagesse, c'est de réaliser qu'il existe plusieurs points de vue sur un même sujet.
>
> – Charles M. Campbell

La morale de cette histoire, c'est qu'il ne faut pas rester figé dans vos idées, dans vos croyances. Cela pourrait revenir vous hanter. Lorsque l'on pense de façon très structurée, notre faculté de voir les choses d'une autre manière s'en trouve limitée. Apprenez donc plutôt à faire preuve de souplesse dans votre façon de penser. Faites tout ce qui est possible pour être une personne au raisonnement divergent sur une base quotidienne.

La majorité d'entre nous a tendance à structurer notre raisonnement de telle façon que cela nous empêche de voir toutes les possibilités qui peuvent exister pour trouver des solutions aux problèmes que la vie nous présente. Cette tendance a un grand impact sur nos capacités créatrices.

Testez la souplesse de votre raisonnement en faisant l'exercice suivant :

Exercice 9.1 – Mais que se passe-t-il donc ici ?

Betty est une enseignante de quarante-deux ans. Elle vient d'acheter une bicyclette pour le sixième anniversaire de sa fille Milisa. Le jour même, alors qu'elle faisait de la bicyclette devant un immeuble à bureaux, Milisa fut renversée par une voiture et blessée. La police et une ambulance arrivèrent sur les lieux de l'accident très peu de temps après. La petite fille n'était pas blessée grièvement, mais les ambulanciers décidèrent de la coucher sur une civière pour l'emmener à l'hôpital où elle devait demeurer en observation. Au moment où ils étaient en train de l'installer dans l'ambulance, un jeune employé de bureau, âgé de vingt-huit ans, sortit de l'immeuble en courant et se mit à crier : « Mais c'est Milisa ! Qu'est-il arrivé à ma petite fille ? »

Milisa est la fille de qui ? De l'enseignante ou de l'employé de bureau ?

> Le type qui a inventé la première roue était un imbécile. C'est celui qui a inventé les trois autres roues qui est le vrai génie.
>
> – *Sid Caesar*

La majorité d'entre nous doit rompre avec notre méthode de raisonnement pour trouver la solution logique à l'exercice 9.1. Rétrospectivement, la solution est évidente (voir les notes de chapitre page 147). La solution logique échappe à beaucoup d'entre nous à cause de la structure de notre raisonnement.

Un raisonnement souple exige principalement un certain effort de la part de la personne qui pense. Les chercheurs ont découvert que les personnes les plus prospères ont acquis l'habitude de raisonner de façon non linéaire, avec souplesse. De là résultent des manières innovatrices de mettre en marché certains produits, des méthodes de financement ou d'administration du personnel. Ces personnes sont douées d'une vision à balayage multidirectionnel.

Le raisonnement divergent offre plus de possibilités aux personnes qui l'utilisent que le raisonnement linéaire ou vertical.

Le raisonnement latéral, terme inventé par Edward de Bono[10], est une autre manière de désigner le raisonnement divergent. Ce mode de raisonnement va beaucoup plus loin que le raisonnement rationnel ou traditionnel.

Essayez de résoudre le problème posé par l'exercice 9.2 en utilisant le raisonnement latéral.

Exercice 9.2 – Le dilemme du mât et du drapeau

Vous êtes le directeur d'un restaurant de la chaîne McDowers, spécialisée dans la vente de hamburgers aux États-Unis. McDowers est la chaîne la plus importante de restaurants de ce genre au monde. Charles Block en est le propriétaire et exige l'excellence de ses directeurs.

Nous sommes à la fin des années soixante. Une manifestation sur le campus de l'Université Bent State a fini en émeute. L'armée des États-Unis a été appelée à la rescousse de la police locale. Dans la confusion totale qui a suivi, les soldats ont tiré sur les manifestants et ont tué quatre étudiants. La colère et l'indignation se sont exprimées un peu partout à travers le pays, et tout spécialement dans les collèges et les universités.

Principe de créativité: Utilisez un raisonnement divergent

Vous venez d'écouter les nouvelles à la radio. Vous êtes dans votre voiture et vous vous dirigez vers votre lieu de travail pour commencer votre journée. Vous travaillez jusqu'à midi et ensuite, vous avez droit à une pause. En écoutant les nouvelles, vous avez entendu que des manifestations vont avoir lieu dans les plus grandes villes et que les étudiants demandent que tous les drapeaux américains soient mis en berne. Vous pensez au mât et au drapeau américain qui se trouvent devant votre établissement. Vous pensez qu'il est heureux que les marcheurs ne se trouvent pas devant votre restaurant. Charles Block, votre patron, penserait à coup sûr qu'il serait très

---

10. Originaire de Malte, Edward de Bono est médecin et docteur en philosophie. Cet inventeur du *raisonnement latéral* soutient que la pensée traditionnelle faisant appel à l'analyse, au jugement et à l'argumentation est possible dans un contexte de stabilité. Cependant, elle ne fonctionne plus lorsque les citoyens se retrouvent en situations précaires et anxiogènes, forcés de vivre une mondialisation où l'on doit s'adapter en permanence à de nouvelles situations imprévisibles. Il conseille des multinationales comme Du Pont, IBM, Siemens, etc. (N.d.T.)

antipatriotique de mettre le drapeau en berne pour protester contre un acte posé par des soldats dans l'exercice de leurs fonctions. En fait, vous savez très bien que Brock vous licencierait si vous deviez plier aux exigences des étudiants et mettiez en berne le drapeau.

À deux heures de l'après-midi, votre adjoint vous informe que 2000 étudiants sont à quatre cents mètres et qu'ils se dirigent vers votre restaurant pour exiger que vous fassiez preuve de respect envers les étudiants décédés. Ils exigent que vous sortiez vous-même pour mettre le drapeau en berne. Les étudiants en colère sont accompagnés d'équipes de la télévision et de la radio.

Il devient évident que si vous ne mettez pas le drapeau en berne, la foule détruira probablement une grande partie de votre restaurant. Charles Brock ne sera certainement pas plus content. Il vous licenciera sûrement. D'un autre côté, il vous licenciera probablement si vous mettez personnellement le drapeau en berne, car il y verrait un geste antipatriotique.

Que ferez-vous?

Exercice 9.3 – Des trombones... Pour quoi faire?

Vous êtes le directeur d'une entreprise qui, par erreur, a fabriqué plusieurs millions de boîtes de trombones pour lesquels vous n'avez aucun débouché. Ces boîtes occupent une place volumineuse dans vos entrepôts. Quelles sont les autres solutions qui s'offrent à vous pour vous débarrasser de ces millions de trombones?

L'exercice 9.2 est basé sur une situation réelle dans laquelle un directeur a dû réagir. Votre décision a été prise en utilisant un raisonnement vertical, si vous avez mis le drapeau en berne ou si vous avez décidé de ne pas le faire et d'en subir les conséquences. Le directeur a préféré utiliser un raisonnement divergent pour faire face à la situation dans la vie réelle, ce qui lui a permis de conserver son emploi. Il existe plusieurs solutions non linéaires à cet exercice. (Voir les notes de chapitre, page 147.) Pouvez-vous arriver à trouver trois d'entre elles?

L'exercice 9.3 ne peut pas être bien résolu en utilisant un raisonnement linéaire ou vertical. Les solutions linéaires sont des solutions rationnelles ou traditionnelles. Une solution linéaire serait de vendre les trombones en essayant de limiter les pertes financières. Le raisonnement vertical est un raisonnement en ligne droite qui suppose une analyse détaillée et logique de la solution. Les personnes qui utilisent un raisonnement vertical penseront à se débarrasser des trombones en les vendant à rabais à des entreprises qui ont besoin de trombones pour agrafer leurs feuilles de papier.

Une personne qui utilise un raisonnement divergent et qui essaie de résoudre l'exercice 9.3 ne cherchera pas seulement à trouver comment se débarrasser des trombones ; elle essaiera aussi de trouver de nouvelles utilisations pour ceux-ci. Les personnes qui utilisent un raisonnement divergent exploreront toutes les possibilités d'utilisation des trombones, plutôt que les utilisations les plus logiques et les plus prometteuses que l'on pourrait en faire. Les personnes qui utilisent un raisonnement divergent doivent regarder les choses d'une autre façon et générer de nouvelles idées en tous genres. Pendant mes séminaires, nous faisons un exercice qui montre que les façons d'utiliser des trombones sont illimitées.

Cette pancarte fonctionne beaucoup mieux qu'un panneau qui dirait : **Plage privée, baignade interdite**

Souvenez-vous donc que, de rigide qu'il était, votre raisonnement doit tendre à devenir un état différent et plus intéressant. L'exercice 9.4 ainsi que les quelques révélations qui suivent vous fourniront des moyens pour mettre en pratique votre raisonnement divergent. Assurez-vous de rechercher des idées qui naissent d'une approche non linéaire autant que d'une approche linéaire.

> Être un sage, c'est l'art de savoir quand il faut fermer les yeux.
>
> – William James

Exercice 9.4 – La reine aux pierres précieuses

Il y avait une fois une reine veuve qui était égoïste, jalouse et laide. Cette mégère avait une fille très jolie, aimée d'un très beau et jeune prince. L'amour étant réciproque, ils prirent la décision de se marier, mais, pour cela, ils devaient obtenir la permission de la reine.

La reine aimait également le prince et avait décidé de se l'accaparer. Cette souveraine était tellement riche que le sentier qui traversait son jardin était couvert de diamants et de rubis. Elle était prête à donner toutes ses richesses au prince si celui-ci acceptait de se marier avec elle; le prince, cependant, ne voulait que la princesse.

Par un bel après-midi, alors qu'ils se promenaient tous les trois le long du sentier, la reine proposa de laisser le hasard décider qui épouserait le prince. Elle déclara qu'elle allait choisir un rubis et un diamant du sentier et les placer dans un coffret à bijoux. La princesse devrait, sans regarder, choisir une des deux pierres précieuses. Si elle choisissait le diamant, la reine épouserait le prince, et si elle choisissait le rubis, ce serait elle qui aurait la chance de l'épouser.

La jeune princesse et le prince consentirent à contrecœur à se livrer à ce petit jeu. La reine se pencha donc pour prendre les deux pierres, et la princesse remarqua que la reine, sans aucun scrupule, avait ramassé deux diamants plutôt qu'un diamant et un rubis et, qu'elle les avait placés dans le coffret à bijoux. Elle demanda ensuite à la jeune princesse de choisir au hasard une des deux pierres du coffret.

Que devrait faire la princesse dans ces circonstances? (Voir les notes de chapitre, page 148, pour les solutions.)

Quelques devinettes pour faire dérailler votre cerveau

Les devinettes nous forcent à penser de façon différente et mettent au défi ce que nous pensons des idées, des nombres, des formes et des mots. Essayez de résoudre ces devinettes en utilisant un raisonnement divergent. (Les solutions se trouvent dans les notes de chapitre, à partir de la page 149.)

Devinette n° 1 – La moitié de 13 n'est pas toujours 6,5

Utilisez votre souplesse de raisonnement pour générer au moins sept solutions à la question : « Quelle est la moitié de treize ? »

Devinette n° 2 – Mais que fait donc le Premier ministre ?

Le Premier ministre du Canada vient juste de faire réaménager l'extérieur de sa résidence officielle d'Ottawa. Il lui reste encore une chose à faire pour que le travail soit définitivement terminé. Il se rend donc à la quincaillerie et cherche ce dont il a besoin pour finir le travail. Si le Premier ministre anglais devait acheter les mêmes articles pour sa résidence officielle londo-nienne, un seul d'entre eux lui coûterait 2,99 $ et dix lui coûteraient 5,98 $.

Le Premier ministre du Canada a choisi d'en acheter vingt-quatre. Le vendeur lui a demandé 5,98 $, soit le même prix que ce que le Premier ministre anglais a payé pour dix. Qu'a donc acheté le Premier ministre du Canada?

> Un homme doit avoir une certaine part d'ignorance intelligente pour avancer dans la vie.
> – Charles F. Kettering

Devinette n° 3 – Il pleut, il pleut bergère

Un homme de trente-huit ans a marché pendant trente-cinq minu-tes sous un fort d'orage. Il ne portait pas de chapeau, n'avait pas de parapluie et ne tenait rien au-dessus de lui pendant l'averse. Et pourtant, pendant ces trente-cinq minutes, pas un seul de ses cheveux n'a été mouillé. Comment a-t-il bien pu réaliser ce tour de force?

Devinette n° 4 – L'œuf ou la poule

Un fermier des Prairies mange quatre œufs par jour pour son petit déjeuner. Cela fait deux ans qu'il n'élève plus de poules. Il ne demande pas, n'emprunte pas, ne vole pas et n'achète pas d'œufs, et personne ne lui donne quoi que ce soit. Comme se procure-t-il ses œufs?

Devinette n° 5 – Une nouvelle pièce de monnaie

Un enfant entre dans un magasin avec deux pièces de monnaie qui, ensemble, totalisent trente cents. Une de ces pièces n'est pas une pièce de cinq cents. Quelles sont les deux pièces de monnaie que cet enfant tient dans la main?

Devinette n° 6 – Les mois longs et les mois courts

Sept des mois de l'année ont trente et un jours. Combien de mois ont trente jours?

Devinette n° 7 – Quand «plus» devient «moins»

Pouvez-vous penser à trois mots différents qui deviennent plus petits lorsqu'on leur rajoute des lettres?

Devinette n° 8 – Encore un peu jeune

Des archéologues sur un site de fouilles recherchaient des arte-facts, lorsqu'un des jeunes stagiaires de l'expédition arriva tout essoufflé en criant qu'il avait trouvé une pièce de monnaie en or sur laquelle était gravée l'inscription « 6 av. J.-C. » Le chef de l'expédition jeta un coup d'œil à la pièce et annonça qu'elle ne datait certainement pas de cette époque. De plus, étant donné qu'il ne tolérait pas la stupidité, il licencia immédiatement le jeune homme. Pourquoi ?

Devinette n° 9 – Bien plus jeune qu'elle ne le paraît

Une femme célèbre son dixième anniversaire. Le jour même, elle marie sa fille de vingt ans. Comment cela est-il possible ?

Devinette n° 10 – De cinq on en fait une

> Les grands innovateurs, les penseurs qui sortent de l'ordinaire et les artistes s'attirent le courroux des médiocres comme les paratonnerres attirent la foudre.
>
> – *Theodor Reik*

Un homme veut joindre cinq chaînes. Chaque chaîne comporte quatre maillons et il veut les mettre ensemble pour faire une seule chaîne. Il en coûte un dollar pour ouvrir un maillon et 1,50 $ pour le fermer. Notre homme s'est débrouillé pour faire faire cette chaîne pour moins de 11 $. Comment s'y est-il pris ?

Encore des exercices pour esprits divergents

Exercice 9.5

Il y a trois ans, le magazine de bandes dessinées Doonesbury avait déployé une image en couleurs du drapeau américain avec le personnage principal de la bande dessinée qui regardait le drapeau 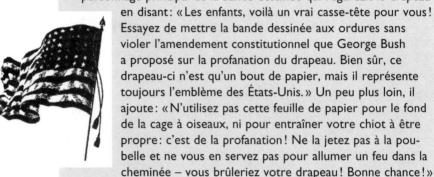 en disant : « Les enfants, voilà un vrai casse-tête pour vous ! Essayez de mettre la bande dessinée aux ordures sans violer l'amendement constitutionnel que George Bush a proposé sur la profanation du drapeau. Bien sûr, ce drapeau-ci n'est qu'un bout de papier, mais il représente toujours l'emblème des États-Unis. » Un peu plus loin, il ajoute : « N'utilisez pas cette feuille de papier pour le fond de la cage à oiseaux, ni pour entraîner votre chiot à être propre : c'est de la profanation ! Ne la jetez pas à la poubelle et ne vous en servez pas pour allumer un feu dans la cheminée – vous brûleriez votre drapeau ! Bonne chance ! » Puis, il surenchère. « Une solution ? Il n'en existe pas ! Vous êtes coincé avec votre drapeau jusqu'à ce qu'il tombe en miettes ! C'est bien triste, mais c'est comme ça. »

Je ne suis pas d'accord pour dire qu'il n'existe pas de solution à ce problème. Pouvez-vous en trouver une ? Moi, je le peux, c'est certain. (Voir les notes de chapitre page 148.)

Exercice 9.6

En 1990, Dick Barr, le président de Western Mortgage (Realty) Corp. faisait face à un gros problème d'espace dans le stationnement de la société, rue West Broadway à Vancouver. Toutes les places étaient pratiquement réservées, et des pancartes annonçaient que tout véhicule stationné sans autorisation serait remorqué. Le problème, c'est que plein de gens se garaient dans les emplacements réservés et que tous les coupables avaient, bien entendu, disparu lorsque la remorqueuse arrivait. Dick Barr utilisa son raisonnement divergent pour trouver une solution qui ne lui coûta pas cher et lui permit de réduire énormément le nombre d'infractions.

Que feriez-vous dans une situation semblable? (Voir les notes de chapitre à la page 148, pour découvrir la solution de Dick Barr.)

Le raisonnement divergent en pleine action

Les grands chefs d'entreprise utilisent régulièrement un raisonnement divergent ou non linéaire. De nombreux experts en gestion prétendent que le fait d'utiliser ou de ne pas utiliser un raisonnement divergent est ce qui différencie les hommes d'affaires qui réussissent de ceux qui échouent. Ce mode de raisonnement donne plusieurs longueurs d'avance aux premiers.

Nous pouvons tous innover et utiliser un raisonnement divergent. La récompense peut être énorme. Voici quelques exemples des récompenses que certains hommes d'affaires ont obtenues en utilisant le raisonnement divergent.

- Ron Foxcroft, un Canadien, a mis trois ans à inventer un nouveau sifflet pour les arbitres. Finalement, il réussit à perfectionner son sifflet de façon à obtenir un son strident, mais il ne réussit pas à vendre un seul de ces objets au Canada dans les mois qui suivirent. Il ne recevait que des avis négatifs, et pas un seul des magasins de sport qu'il approchait ne lui achetait son produit. Les propriétaires de ces magasins refusaient même de prendre le sifflet en consignation, parce qu'à leur avis il s'agissait de l'objet le plus stupide qu'ils n'aient jamais vu.

Foxcroft faisait face à un problème majeur et décida d'utiliser un raisonnement divergent. Lors des Jeux panaméricains, il décida de rester éveillé jusqu'au milieu de la nuit et, fait inusité, commença à actionner son sifflet dans les locaux où dormaient 400 arbitres, juges et juges de ligne. Foxcroft réveilla la plupart de ces officiels, et cela donna des résultats. Le lendemain, il reçut des commandes pour 20 000 exemplaires de son sifflet Foxcroft 40, au coût de 6 $ chacun. À l'heure actuelle, son sifflet est utilisé par les maîtres nageurs, les motoneigistes, les skieurs et les officiels de toutes les ligues majeures, sauf au hockey.

- En 1996, la banque Barclay de Madrid faisait face à un problème : les utilisateurs des guichets automatiques se plaignaient du danger qu'ils couraient quand ils les utilisaient. Le problème résidait dans le fait que la nuit les sans-abri et les prostituées utilisaient l'espace protégé où se trouvaient les guichets, et les clients avaient peur de s'en approcher. La banque réussit à résoudre le problème en utilisant un raisonnement divergent. Elle installa un détecteur d'approche à infrarouges et un haut-parleur d'où jaillissait le message suivant : «Votre sécurité nous tient à cœur. Si vous n'utilisez pas le guichet automatique et ne quittez pas les lieux d'ici quinze secondes, nous appellerons la police pour vous protéger.»

Ce sont les personnes qui décident de prendre de l'avance sur les autres qui seront avantagées sur cette terre.

– George Eliot

- À la fin des années 1980, Barry Kukes, de la société Compu-Pak, réussit à faire progresser les ventes de ses disquettes de 100 pour cent en cinq mois. Comment s'y est-il pris ? En utilisant un emballage nouveau et totalement différent. Son premier succès fut la disquette «Bikini», sur laquelle se trouvait la photo d'un mannequin en tenue légère. Puis, il plaça des chiots sur les emballages. Il a l'intention de mettre des photos d'autos et d'autres objets sur de futurs emballages. Kukes se moquait totalement du fait que ses emballages n'avaient aucun rapport avec les disquettes. Si vous lui demandez : «Pouvez-vous me dire ce que vient faire une femme en bikini sur une disquette ?», sa réponse sera : «Je dois bien l'admettre, cela n'a aucun rapport.»

On honore certaines personnes pour leur conservatisme, alors qu'elles sont tout simplement stupides.

– Kin Hubbard

Les emballages non conventionnels de Kukes lui ont fourni une excellente publicité gratuite. Si vous désirez de la publicité à l'œil, souvenez-vous que faire la promotion de vos produits n'est pas le travail des médias. Les gens des médias veulent une bonne histoire. Mettez en pratique le raisonnement divergent. Soyez le premier, osez, soyez différent des autres, et vous verrez que les médias parleront de vous et de votre entreprise.

En 1989, le restaurant *Hy's Encore*, de Vancouver, faisait face au problème suivant : ses clients potentiels pensaient qu'il était fermé. On était en train de démolir les grands immeubles de chaque côté de l'établissement, ce qui laissait à croire que le petit immeuble de deux étages, au milieu, était également en démolition.

Le restaurant fit paraître une annonce dans le *Vancouver Sun*, qui montrait une photo de *Hy* et des deux immeubles en démolition. En voici le texte :

Le restaurant *Hy's Encore* plus que jamais au service de sa clientèle ! Malgré certaines rumeurs, ce monument historique, situé au milieu des travaux de la rue Hornby, est encore ouvert, comme il l'a toujours été depuis vingt-sept ans. Des rénovations très importantes sont presque terminées, et nos clients pourront profiter de ce nouveau coup d'œil. La photo ci-jointe vous montre la première étape du programme de rénovations, qui inclut la démolition des bâtiments adjacents.

Notes de chapitre

Exercice 9.1

Vous remarquerez combien il est facile pour la majorité d'entre nous de structurer notre pensée. Bien qu'il existe plus d'une solution à cet exercice, la plus logique est que Milisa est à la fois la fille de l'enseignante et de l'employé de bureau. L'employé de bureau est marié à une femme plus âgée que lui. (Seulement vingt pour cent des participants à mes séminaires découvrent la réponse.)

Exercice 9.2

Il existe de nombreuses solutions si on utilise un raisonnement latéral. Ma solution à moi était de déléguer mes pouvoirs à un adjoint et de disparaître. De cette manière, j'avais une chance de ne pas perdre mon emploi en disant que j'étais absent lorsque le drapeau a été mis à berne.

Le directeur qui a dû faire face à ce problème réel savait qu'il allait recevoir sous peu une livraison de nourriture. Il a donc appelé son fournisseur et lui a dit de se dépêcher d'arriver. Il lui a aussi demandé de faire tomber le mât avec son camion de livraison. C'est exactement ce qu'a fait le livreur. Le directeur a ensuite appelé son patron pour lui dire que le camion de livraison avait fait tomber le mât, mais qu'il le ferait remettre en place le lendemain. Il ne lui a pas mentionné qu'il avait fait exprès de causer cet incident.

Exercice 9.3

Il est question de cet exercice à l'intérieur du chapitre.

Exercice 9.4

Une solution linéaire serait que la princesse choisisse une des pierres et sacrifie son bonheur. Une autre solution linéaire serait de dénoncer la tricherie de la reine.

Parmi les quelque vingt bonnes solutions divergentes possibles, l'une serait que la princesse demande à la reine de prendre une pierre dans la boîte et de lui dire ensuite qu'étant donné qu'elle a pigé un diamant, la pierre qui reste pour elle doit forcément être un rubis.

On donne souvent le titre de « génie » à certaines personnes, de la même manière que l'on nomme certains insectes des « mille-pattes ». Ce n'est pas parce qu'ils ont vraiment mille-pattes, mais parce que certaines personnes ne savent pas compter au-delà de quatorze.

– George Christoph Lichtenberg

Exercice 9.5

Il n'y a aucune raison de rester coincer avec le drapeau de la bande dessinée. Utilisez un raisonnement divergent et envoyez cette partie de la bande dessinée à George Bush. Le Président a l'air d'aimer tellement les drapeaux qu'il ne manquera pas d'être enchanté d'en avoir un de plus, même s'il s'agit d'un drapeau en papier.

Exercice 9.6

Bien que le stationnement ait été prévu pour l'usage des employés seulement et non pour d'éventuelles voitures qui paieraient à l'heure, Barr fit installer plusieurs panneaux qui offraient des places de stationnement payables au tarif de 10 $ l'heure ou par fraction d'heure. Ce taux horaire est environ cinq à dix fois plus élevé que ce qu'on exigeait alors dans les stationnements de Vancouver. Ce taux scandaleux fit baisser de 75 pour cent le nombre de stationnements illégaux qui existait avant que les pancartes soient installées. Il s'est pourtant produit un autre problème : il arrive que de temps à autre, quelqu'un entre dans l'immeuble pour payer sans discuter le tarif de 10 $ l'heure !

Devinette 1 :

Quelques-unes des solutions sont un et trois (1/3), onze (XI) et deux (II) (XI/II) et trois lettres (tre/ize).

Devinette 2 :

Le Premier ministre anglais a sa résidence officielle au 10, Downing Street, à Londres S.W.1, Angleterre, et le Premier ministre du Canada à sa résidence officielle au 24, avenue Sussex, Ottawa, K1A 0A2, Canada. Maintenant, retournez voir l'exercice et essayez à nouveau de le résoudre. (Voir l'annexe page 261, pour la solution.)

Devinette 3 :

L'homme est chauve.

Devinette 4 :

Le fermier mange des œufs de cane.

Devinette 5 :

Une pièce de 25 cents (qui n'est évidemment pas une pièce de 5 cents) et une pièce de 5 cents.

> *Ce n'est pas l'ignorance qui est le problème de beaucoup de gens. C'est, au contraire, un ramassis de mauvaises croyances.*
>
> *– Josh Billing*

Devinette 6 :

Onze mois (tous. sauf celui de février).

Devinette 7 :

Garçon, garçonnet. Chat, chaton. Arbre, arbrisseau.

Devinette 8 :

Une pièce de monnaie avec l'inscription « 6 av. J.-C » n'a aucun sens, puisque cela veut dire « avant Jésus-Christ » et que seulement les pièces postérieures à la naissance du Christ pourraient, théoriquement, porter le sigle latin A.D. (*Anno*

Domini – Année du Seigneur, c.-à-d. le Christ, pour les pays chrétiens.)

Devinette 9:

Cette femme est née le 29 février d'une année bissextile, et a donc quarante ans.

Devinette 10:

Ouvrez les quatre maillons de l'une des cinq chaînes pour un coût de 4 $, et utilisez ces quatre maillons pour accrocher les quatre chaînes restantes, pour un coût de 6 $. Coût total: 10 $.

CHAPITRE 10

MON DIEU !
VOUS EN AVEZ DE LA CHANCE
D'AVOIR DES PROBLÈMES !

Quel est donc votre problème ?

Comment faites-vous face aux problèmes journaliers ?
Envisagez-vous toujours les problèmes qui se présentent
comme des situations très compliquées et désagréables ? Eh
bien, vous ne devriez pas. Les personnes douées
de pouvoirs créatifs voient dans les problèmes les
plus complexes qui se présentent à elles des chances de se dépasser. Vous devriez accueillir chaque
problème qui se présente à vous comme une
chance supplémentaire d'en tirer des satisfactions,
car les plus grands contentements proviennent
des problèmes les plus complexes que nous avons résolus.

Allez donc rendre visite à votre mère. Il est possible qu'elle n'ait pas eu de problèmes, ces derniers jours.

(Graffiti lu sur un mur)

Exercice 10.1 – Aussi facile que de se faire plumer au casino

Imaginez que vous avez un patron qui n'est pas bon en arithmé-
tique. En fait, il s'agit de la personne la pire que vous connaissiez
quand il est question de compter. Chaque fois qu'un problème
de calcul se présente, il vient dans votre bureau pour que vous
le résolviez. Aujourd'hui, il veut que vous calculiez le problème
suivant :

$$123 + 456 - 23 = ?$$

Il est certain que vous n'avez eu aucun mal à résoudre cet exercice élémentaire, mais quelle satisfaction en avez-vous tiré ? À
moins d'être aussi nul en maths que mon patron imaginaire, vous
n'avez pas dû délirer. Pourquoi ? Tout simplement parce qu'il n'y

avait là aucun défi. Vous n'éprouveriez aucune satisfaction à avoir un emploi dans lequel on ne vous demanderait que de résoudre des calculs de niveau primaire, même si vous êtes grassement payé pour le faire.

Exercice 10.2 – Résolvez une devinette vieille de 5 000 ans

Imaginez maintenant que votre patron aime également les devinettes. Il n'est pas mauvais en devinettes, mais il bloque face à celle-là et, donc, il vous l'apporte. Cette devinette, originaire de Chine, a environ 5 000 ans. Pouvez-vous la résoudre?

Si _____ _____

_____ = 6

_____

_____

_____

_____ _____ = 1

_____ _____

_____

_____ = 3

_____ _____

Que représente...

_____ _____

_____ _____

_____ ?

> La cause principale des problèmes réside dans leur solution.
>
> – Eric Sevareid

Avez-vous réussi à résoudre les deux derniers exercices? Si oui, lequel des deux vous a apporté le plus de satisfaction? Il est certain que c'est le second. (Voir les notes de chapitre, page 162, pour la solution du deuxième exercice.) Il s'agissait d'un moyen simple de vous montrer que plus le degré de difficulté d'un problème est élevé, plus grande est la satisfaction.

C'est un fait: plus un défi est élevé, plus il y aura de satisfaction à le relever.

Ma maison a brûlé et maintenant, je peux voir la lune

Être créatif signifie accueillir les problèmes comme étant des coups de chance qui permettent de tirer davantage de satisfactions de la vie. Soyez conscient de vos réactions la prochaine fois que vous devrez faire face à un problème important à votre travail. Si vous avez confiance en vous, vous envisagerez ce problème avec optimisme parce que cela vous donnera une chance supplémentaire de tester votre créativité. Ceux d'entre vous qui se montrent pleins d'appréhension devant les difficultés doivent se rappeler qu'ils ont la possibilité d'être créatifs et de les surmonter. Tout problème qui se présente est une occasion supplémentaire de créer des solutions innovatrices et d'en tirer la satisfaction de le résoudre avec succès.

Les Chinois ont un dicton qui dit: «Ma maison a brûlé et maintenant, je peux voir la lune». Je ne souhaite certainement pas que votre maison, ni celle de qui que ce soit d'autre, brûle. Cependant, j'espère que vous serez capable d'examiner vos problèmes ordinaires et moins ordinaires et de voir les occasions qu'ils vous offrent.

> *Principe de créativité:*
>
> Voyez vos problèmes comme étant des coups de chance que le destin vous offre.

Lorsque nous faisons face à un problème, nous avons tous deux choix. Le premier, c'est de lui résister, ce qui est totalement inefficace. La résistance aux problèmes a comme origine la peur, la paresse ou le manque de temps. Quelle que soit la raison de cette résistance, le problème ne disparaîtra pas tout seul. Souvenez-vous de la règle de psychologie selon laquelle tout ce à quoi nous résistons persiste. C'est également vrai dans le cas des problèmes: la résistance ne fera que garantir leur durabilité.

Le deuxième choix qui s'offre à nous est de nous occuper du problème. Nous pouvons tirer parti de nos capacités et prendre le contrôle. Les personnes très créatrices sont très enthousiastes face à un nouveau problème, parce que cela représente un nouveau défi, qui se traduit par une augmentation de leur degré de satisfaction et de leur croissance personnelle.

Nos problèmes : les bons, les bêtes et les méchants

On a raconté beaucoup de choses au sujet des problèmes et de la façon dont nous devons les résoudre. Les problèmes peuvent apparaître dans un dégradé de nuances, du bon, au bête, au méchant. Voilà ce qu'il faut vous dire : que certains points vous paraissent bons, bêtes ou méchants n'est qu'une question d'interprétation.

1. **Le fait d'avoir beaucoup d'argent n'éliminera pas et ne réduira pas nos problèmes.** La plupart des gens ne le croient pas, malgré toutes les preuves qui existent. Ils veulent croire que s'ils font un gros coup d'argent, tous leurs problèmes seront réglés. Ils croient au père Noël ; tout ira pour le mieux, une fois que quelque intervention miraculeuse leur aura donné quelque chose qui représente de la valeur à leurs yeux. Rappelez-vous à quel point cette croyance s'est révélée fausse lorsque nous étions enfants. Notre bonheur était de courte durée, et nos problèmes ne changeaient pas. Il existe de nombreuses preuves qui montrent que l'argent ne réglera pas nos problèmes. Les journaux racontent des milliers d'histoires de personnes richissimes qui ont des ennuis avec la justice ou d'autres problèmes majeurs. Un récent sondage montre qu'il y a un plus fort pourcentage de personnes gagnant 75 000 $ et plus par an qui sont malheureuses que de personnes gagnant moins de 75 000 $. Le pourcentage de personnes riches qui ont un problème d'alcool ou de drogues est plus élevé que dans la population en général.

   J'ai une théorie sur le bonheur auquel nous pouvons nous attendre si nous avons beaucoup d'argent. Si nous sommes heureux et que nous pouvons surmonter nos problèmes alors que nous gagnons 25 000 $ par an, nous serons tout aussi heureux et nous surmonterons nos problèmes si nous gagnons beaucoup plus d'argent. Si nous sommes malheureux et incapables de surmonter nos problèmes avec 25 000 $ par an, nous pouvons nous attendre à la même chose avec des revenus beaucoup plus conséquents et nous serons tout aussi malheureux et tout aussi incapables de surmonter nos problèmes. Une différence toutefois : nous serons tout aussi malheureux, mais à l'aise, et avec un certain panache.

2. **Les personnes qui réussissent en affaires ont à surmonter des problèmes plus graves et plus nombreux que les personnes qui ne réussissent pas.** Ceux et celles qui ont ce qu'il faut pour gagner de l'argent ou qui dirigent une entreprise importante ont à traiter et à résoudre de nombreux problèmes. Par conséquent, elles sont responsables de problèmes plus nombreux et plus importants. Un récent sondage paru dans la revue *Canadian Business* révèle que les personnes à la tête des entreprises canadiennes les plus importantes travaillent plus de onze heures par jour. Il est évident qu'elles passent énormément de temps à résoudre des problèmes. Les millionnaires déclarent qu'ils en ont toujours et en plus grand nombre que le commun des mortels.

3. **Certains problèmes peuvent être refilés à d'autres personnes.** C'est là la façon la plus efficace de résoudre un problème. Un de mes casse-tête a déjà été la négociation de la durée de mes conférences (cela prend du temps et je préfère faire autre chose). J'ai délégué ce problème : j'ai maintenant un agent qui négocie à ma place. Imaginons que votre problème consiste à envoyer un paquet vers une destination quelconque et que l'employé des postes vous déclare que c'est impossible. La chose la pire à faire est de commencer à vous plaindre, car l'employé se mettra sur la défensive et votre problème sera toujours présent. Donc, à la place, déléguez votre problème à l'employé en disant : «À ma place, que feriez-vous ?» En redonnant ce problème à la personne la plus habilitée à le régler, vous augmentez vos chances qu'elle trouve une façon de faire parvenir votre colis à destination. Si vous êtes un chef d'entreprise, vous pouvez déléguer beaucoup de vos problèmes. Comment ? En les repassant à d'autres, bien sûr. Pensez à tous les problèmes dont vous pouvez vous débarrasser en les confiant à des tiers, puis, faites-le.

> Lorsque vous êtes sans le sou, votre gros problème c'est de manger. Si vous êtes riche, c'est peut-être votre vie sexuelle. Si vous avez déjà ces deux problèmes, vous avez des ennuis de santé... Si tout baigne dans l'huile, alors vous avez peur de mourir.
>
> *– J.P. Donleavy*

4. **Nous créons souvent de nouveaux problèmes en en résolvant un.** Il peut y avoir de multiples variantes à un problème, par exemple, que nous voulions nous marier. Une fois cette question réglée, c'est-à-dire après avoir convolé en justes noces, nous faisons face à tous les problèmes qu'entraîne le mariage. Une fois ceux-ci résolus, le nouveau problème peut être, par exemple, le manque de vêtements. Une fois ce nouveau problème résolu, nous n'avons pas assez d'espace dans nos armoires pour les ranger et nous ne savons pas quoi choisir pour nous habiller. Si les questions d'argent ont été résolues grâce à un gain inespéré à la loterie, nous nous retrouvons face à d'autres problèmes, comme celui de perdre nos vieux amis, qui ne veulent plus rien savoir de nous.

5. **Des incidents malheureux ou des revers personnels importants sont souvent des chances de faire croître notre créativité et de nous transformer.** De nombreuses personnes racontent que le fait de divorcer ou de perdre une bonne somme d'argent au jeu peut changer leur façon de penser. Il en résulte souvent un éveil de la pensée créatrice. Des échecs, comme le fait de ne pas avoir eu de promotion, peuvent occasionner une résurgence de la pensée créatrice, qui s'était assoupie. Il y a même des gens qui déclarent que la meilleure chose qui leur est arrivée est d'avoir été mis à la porte. Les problèmes importants font travailler notre esprit et nous coupent de nos vieilles façons de raisonner.

6. **Une vie sans problème ne vaut probablement pas la peine d'être vécue.** Nous éliminerions probablement tous nos problèmes si nous étions branchés sur des machines qui feraient tout pour nous. Il est toutefois peu probable que quelqu'un s'imagine qu'une telle solution puisse représenter un substitut valable à notre vie et à ses problèmes. Pourtant, tout le monde rêve d'une vie sans histoires.

7. **Le meilleur moyen de vous débarrasser de vos problèmes, c'est d'en trouver un plus important.** Supposons que votre problème soit de décider ce que vous allez faire de votre après-midi. Un gros ours brun

s'est mis à vous poursuivre pendant que vous étiez en train de débattre de cette question d'une banalité navrante. Le petit problème se trouve donc supplanté par un problème plus important: l'ours brun. La prochaine fois que vous aurez un problème, créez-en un plus important. Il vous débarrassera du premier et vous le fera facilement oublier.

8. **La meilleure chose à faire pour apprécier les problèmes que nous avons au travail est d'avoir un emploi ou de diriger une entreprise que nous aimons véritablement.** Si nous voulons passer maître dans l'art de résoudre les problèmes au travail, il est très important que nous aimions ce que nous faisons. Cela signifie que nous devrions laisser les emplois que nous n'aimons pas et le meilleur moment pour le faire est maintenant. Nous n'avons aucune excuse valable d'endurer des situations que nous n'apprécions pas. Si nous trouvons un emploi que nous aimons, nous ferons face à des problèmes que nous prendrons plaisir à résoudre.

> *Si vous ne voulez rien rencontrer de plus dégoûtant au cours de la journée, avalez un crapaud dès le matin.*
>
> *– Nicolas Chamfort*

9. **La plupart des problèmes peuvent être transformés instantanément en changeant le contexte dans lequel nous les envisageons.** Comment se fait-il que certaines personnes peuvent perdre plusieurs millions de dollars et continuer leur chemin en disant: «Aucune importance, ce n'est que de l'argent. Je suis encore en vie, non?» Comparez cette attitude à celle de cette autre personne, à l'aise elle aussi, qui n'a pas dormi pendant deux nuits après avoir récolté une contravention de cinq dollars pour stationnement illicite. La différence se situe dans le contexte où les deux évoluent face aux problèmes.

Ce n'est pas la réalité d'un problème ou son acuité, mais l'importance qu'on lui accorde qui détermine le sérieux avec lequel nous envisageons la gravité d'une situation. Nous pouvons changer notre qualité de vie en choisissant le contexte dans lequel nous envisageons nos problèmes, ce qui nous

> *Si tous nos malheurs devaient être mis dans un sac dans lequel chacun de nous devrait puiser, la plupart des gens seraient satisfaits de prendre leur part et de s'en aller avec.*
>
> *– Socrate*

permet de dire si un verre est à moitié vide ou à moitié plein. Notre vie ira beaucoup mieux si nous décidons que notre verre est à moitié plein.

Les problèmes de certaines personnes peuvent devenir vos coups de chance

Les gens ont des millions de problèmes. Voilà autant de chances à saisir. Notre capacité de remarquer et de résoudre les problèmes des autres peut enrichir notre vie. Les personnes astucieuses qui remarquent et résolvent des problèmes sont celles qui bougent et qui foncent en affaires.

Un problème vient toujours accompagné d'un cadeau à la main. Recherchez les problèmes, car vous avez besoin de cadeaux.

– Richard Bach

Exercice 10.3 – Concentrons-nous sur les problèmes des autres

Nommez cinq problèmes que d'autres personnes éprouvent soit dans leur vie privée, soit dans leur vie professionnelle. Puis, voyez si vous trouvez des façons de les résoudre, par exemple, en offrant de nouveaux produits ou de nouveaux services qu'ils pourront acheter.

Les problèmes de tout le monde et leur potentiel de possibilités

1. Les internautes invétérés.
2. Le manque d'eau potable.
3. Il y a trop de personnes qui jouent les victimes.
4. Comment mieux utiliser les ressources énergétiques?
5. Comment avoir plus de jeunes au travail et plus de personnes âgées au repos?
6. Trop de chiens et trop de chats errants.
7. Comment mieux profiter de ses loisirs?
8. Les endroits de villégiature qui sont hors de prix.
9. Les écoles qui n'enseignent pas la pensée créatrice.
10. Les entreprises qui veulent augmenter leur productivité.
11. Le besoin d'avoir des emplois plus gratifiants.
12. Le besoin de logements à meilleur marché.
13. Les espaces non loués dans les immeubles commerciaux.

La nouvelle année apporte 365 jours de chance.

– Un sage anonyme

14. Les entreprises dont le fonctionnement est trop compliqué.
15. Les nombreux produits qui ne sont pas commercialisés de manière appropriée.
16. Le besoin criant de crèches et de garderies à meilleur marché.
17. Le besoin d'économiser pour la retraite.
18. Les villes dont l'environnement n'est pas agréable.
19. Le besoin de réduire l'analphabétisme.
20. Le trop grand nombre d'entreprises qui font faillite.
21. La nécessité de résoudre le problème de la faim dans le monde.
22. La qualité de l'enseignement dans les écoles.
23. Le trop grand nombre de jeunes adultes décrocheurs.
24. Comment retrouver les enfants qui ont disparu?
25. Comment avoir une retraite heureuse?
26. Comment réduire le taux de divorce?
27. La solitude des personnes mariées ou célibataires.
28. La prévention du suicide?
29. Les personnes qui désirent plus d'esprit communautaire dans leur vie.
30. Le manque d'information.
31. La pléthore d'information.
32. Les personnes qui ne savent pas comment prendre des responsabilités.
33. Les personnes qui veulent changer les choses.
34. Comment augmenter son estime de soi?
35. Les produits de mauvaise qualité.
36. Comment dénicher le bon emploi?
37. Comment les célibataires peuvent-ils faire de nouvelles rencontres?
38. Comment les personnes peuvent-elles se renouveler?
39. Comment dépenser son argent de façon prudente?
40. Comment être plus heureux?
41. Comment obtenir plus de pouvoir?
42. Comment obtenir du financement des entreprises pour des programmes sociaux ou communautaires?
43. Comment réduire son stress au travail?
44. Comment être en bonne santé et paraître jeune?
45. Comment trouver des vacances à bon marché?

46. Comment éviter les beaux-parents et les membres de la famille qui nous harcèlent ?

47. Le trop grand nombre de choix dans la vie.

48. Le manque de temps pour arriver à tout faire.

49. Comment empêcher la criminalité ?

50. Comment faire pour que cette liste comporte cent éléments ?

Exercice 10.4 – Votre liste personnelle de choses qui vous ennuient, que ce soit pour vous amuser ou pour en tirer profit

Pensez-y bien : quelles sont les choses qui vous ennuient ? Qu'est-ce qui ennuie les autres ? Choisissez deux sources d'énervement « importantes » et imaginez des services ou des produits qui vous aideront à éliminer ces ennuis.

Liste des choses qui ennuient tout le monde

Circonstances propices à la création de nouveaux produits ou de nouveaux services

1. La sollicitation par téléphone.

2. Devoir lécher les enveloppes et les timbres.

3. Trop d'émissions de nouvelles à la radio.

4. Trop de personnes négatives.

5. Les personnes béatement positives.

6. La fumée secondaire des fumeurs.

7. Les téléphones cellulaires qui sonnent au restaurant.

8. L'insuffisance de pancartes dans les rues.

9. Les affreux nids-de-poule dans la chaussée.

10. Trop de trajets quotidiens pour aller travailler.

11. Trop de circulation dans votre quartier.

12. Les livres inintéressants.

13. Trouver la bonne paire de lacets.

14. Les robinets qui coulent.

15. Les agents de recouvrement.

16. Conduire la voiture au garage pour la faire réparer.

17. La parenté.

18. Les yuppies snobinards qui veulent nous en mettre plein la vue.

19. Les ampoules électriques qui brûlent.

20. Devoir acheter un arbre de Noël.

21. Trop de nouvelles négatives dans les journaux.
22. Les patrons qui agissent en dictateurs.
23. Ne pas savoir quoi écrire dans les lettres.
24. L'ennui.
25. La paperasserie gouvernementale.
26. Les conférenciers ennuyeux.
27. Les chiens qui aboient tout le temps.
28. Un mauvais service dans les magasins.
29. Les livrets d'instruction trop difficiles à comprendre.
30. Les voitures qui se sont garées devant votre maison.

> *Je rendrai l'électricité tellement bon marché que seuls les riches auront les moyens d'acheter des bougies.*
> *– Thomas Edison*

31. Les égratignures que l'on a faites à votre voiture dans un stationnement.
32. Les gens qui occupent deux places de stationnement.
33. Les personnes qui conduisent trop vite ou trop lentement.
34. Les organismes de charité qui vendent leurs fichiers d'adresse.
35. Être dans l'obligation d'écrire un mémoire, un livre, un curriculum vitæ.
36. Être deux et n'avoir à manger qu'une minuscule pizza – pas bonne, de surcroît !
37. S'ennuyer pendant les vols de longs courriers.
38. Des chaussures de sport qui ne font jamais bien.
39. Une seule bonne chaussette sur deux.
40. Les imprimés publicitaires dans votre boîte à lettres.
41. Les baignoires trop petites.
42. Devoir tondre la pelouse.
43. Les voisins qui font des réceptions trop bruyantes.
44. Faire la queue.
45. Les personnes du sexe opposé qui draguent.
46. Trop de publicité à la télévision et dans les journaux.
47. Les publicités débiles à la télé.
48. Des chaises inconfortables dans votre café préféré.
49. Traiter avec des personnes odieuses.
50. Des listes interminables comme celle-ci.

De gros problèmes ? Non : des chances inespérées

Lorsque l'on parle de problèmes, il faut se souvenir que plus gros sont les problèmes, plus on a de la chance. En voici un bon exemple :

> Bette Nesmith Graham avait un gros problème. Elle était dactylo et faisait beaucoup de fautes de frappe. Bette savait que les autres dactylos éprouvaient les mêmes problèmes. C'est ce qui a fait qu'elle est aujourd'hui à la tête d'une entreprise valant des millions de dollars. Au début des années 1950, IBM mettait sur le marché de nouvelles machines à écrire électriques avec un ruban carbone. Lorsque les dactylos essayaient d'effacer une faute de frappe, cela laissait des traces terribles sur la feuille de papier. Bette a mis au point une peinture blanche qu'elle utilisait pour masquer les mots à corriger. Cette peinture donnait d'excellents résultats. Elle l'a nommée *Liquid Paper*. L'invention de Bette fut refusée par IBM lorsqu'elle la leur proposa. Ce nouveau problème est devenu pour elle un nouveau coup de chance : elle a alors décidé de lancer elle-même son produit, le *Liquid Paper*, sur le marché. Lorsque Bette est morte en 1980, son entreprise valait 50 millions de dollars.

> *Nos catastrophes ont été les meilleures choses qui pouvaient nous arriver. Et ce que nous avons juré être des bienfaits ont été les pires.*
>
> – Richard Bach

Nos carrières et nos entreprises dépendent des problèmes des autres. Notre travail a toujours un rapport avec un problème à résoudre. Les gens continueront toujours d'avoir des problèmes et nous aurons toujours la chance de pouvoir les régler. Le fait de nous y attaquer peut nous rendre riches et célèbres, du moins si c'est cela que nous désirons. La satisfaction et le plaisir de venir à bout de difficultés sont encore plus importants que la richesse et la gloire.

Notes de chapitre

Exercice 10.2

La réponse est 4. Lorsque nous regardons les trois premiers ensembles de lignes, nous pouvons nous apercevoir qu'un schéma se dégage. La première ligne des trois compte pour un, la deuxième pour deux et la troisième pour quatre. Lorsqu'une de ces lignes se trouve brisée, elle compte pour zéro. La somme des trois lignes représente le nombre à trouver. Le nombre qu'il fallait trouver est donc :

$$0 + 0 + 4 = 4$$

CHAPITRE 11

COMMENT ÊTRE
UN PERDANT MAGNIFIQUE

Pour réussir, vivez plus d'échecs

Exercice 11.1 – Qui est cet homme?

Il a fait faillite deux fois. Il s'est présenté à l'assemblée législative de son État et a connu l'échec. Par deux fois, ses tentatives d'entrée au Congrès n'ont pas été couronnées de succès. Il n'a pas mieux réussi dans sa course au Sénat: il a été défait deux fois. Le succès lui a encore échappé lorsqu'il a tout mis en œuvre pour devenir vice-président des États-Unis. La femme qu'il aimait est morte à un très jeune âge. Il a fini par faire une dépression nerveuse.

Qui était cet homme?

> Tout art vraiment original nous paraît affreux au premier abord.
>
> – *Clement Greenberg*

Exercice 11.2 – La clé de la réussite en affaires

Quelle est la qualité la plus importante, celle qui surpasse toutes les autres que les grands hommes d'affaires possèdent et qui les aide à réussir?

Le dernier chapitre insistait sur le fait que les problèmes sont en fait des coups de chance et que plus le problème que nous avons à résoudre est difficile, plus nous éprouverons de satisfaction à le résoudre. Si tel est le cas, pourquoi y a-t-il donc tant de gens qui évitent les problèmes plus qu'ils n'éviteraient un pitbull enragé? Une des raisons majeures est la peur de l'échec.

Beaucoup de personnes fuient les risques de faire face à un échec, car elles ne réalisent pas que la réussite arrive, en général, après avoir essuyé beaucoup de coups durs. Prenez l'exemple de l'homme dont nous parlions à l'exercice 11.1. Ce personnage était nul autre qu'Abraham Lincoln. Tous les échecs auxquels il a dû faire face se sont produits avant qu'il ne devienne le célèbre président des États-Unis.

D'un côté, la société nord-américaine est obsédée par l'idée de la réussite. D'autre part, la majorité des gens ont très peur des échecs et font tout pour les éviter. Ce besoin de réussir et ce désir d'éviter les échecs sont totalement contradictoires. L'échec est une étape nécessaire pour connaître la réussite. Bien souvent, vous devrez éprouver de nombreux échecs avant de connaître le succès. Le chemin qui mène à la réussite ressemble un peu à cela :

> Échec, échec, échec, échec, échec, échec,
> échec, échec, échec… Réussite !

La route vers la réussite est pavée d'échecs – d'échecs et de rien d'autre. Et pourtant, beaucoup de gens s'efforcent de les éviter à tout prix. Leur peur est associée à d'autres peurs comme celle de passer pour un idiot, d'être critiqué, de perdre le respect de notre groupe ou notre sécurité financière. Pourtant, éviter les échecs signifie éviter la réussite. Vous devrez connaître beaucoup d'échecs pour atteindre la réussite. La seule façon de doubler votre taux de réussite est, bien entendu, de doubler votre taux d'échecs.

> *Il y a beaucoup de gens déçus qui attendent, au coin de la rue, un autobus nommé Perfection.*
>
> *– Donald Kennedy*

La peur de passer pour un idiot est totalement idiote

Les participants à mes séminaires citent la peur de l'échec comme étant une barrière à la créativité. Je leur fais alors remarquer que ce n'est pas tellement la peur de l'échec qui les effraie, mais plutôt la peur de l'opinion que les autres auront de nous. Beaucoup d'entre nous refusent de prendre des risques, parce que nous avons peur de cette mauvaise opinion appréhendée. Notre obsession de paraître sous notre meilleur jour et d'être aimés est tellement grande que nous ne faisons rien qui risquerait de projeter de nous une image négative. Le soin que nous mettons à éviter les risques est devenu une norme. Cela se fait non seulement au détriment de notre créativité, mais aussi de notre vitalité. Nous devons apprendre à être des idiots pour devenir créatifs et vivre pleinement notre vie.

> *Principe de créativité :*
> Prenez des risques

Beaucoup de gens pensent qu'il existe une hiérarchie dans la vie comme celle sur la figure précédente. Tout en haut se trouvent les génies. Puis, viennent les chefs d'entreprise couronnés de succès, ceux qui ne connaissent jamais l'échec. Si nous examinons bien les génies apparents de notre monde, nous voyons que le génie n'est rien de plus que la persévérance et la persistance déguisées. Einstein et Edison ont connu beaucoup de réussites, mais ils ont également affronté énormément d'échecs.

Il existe un niveau bien pire que celui d'idiot : c'est celui où se situe la peur de *passer* pour un idiot. Les génies, les véritables chefs, les grands hommes d'affaires ont surmonté leur peur de passer pour des idiots. Ils réalisent que pour atteindre leurs objectifs, ils doivent, en tout premier lieu, *être* des idiots. Il est essentiel d'être un idiot pour maîtriser notre vie. Il vaut beaucoup mieux être un « idiot » que d'avoir peur d'en être un. La vie exige de nous que nous soyons des idiots, de temps à autre.

> La ligne est mince entre le génie et la folie. Pour ma part, je l'ai effacée.
>
> – Oscar Levant

Si ce que les autres pensent de vous vous inquiète beaucoup, j'ai quelques nouvelles importantes pour vous : les chercheurs déclarent que 80 pour cent des pensées des gens sont négatives et ceci, lors des bonnes journées. Alors, pensez un peu à ce qu'est le pourcentage lors des mauvaises ! Cela signifie que, de toute façon, vous serez la cible des pensées négatives des autres. La majeure partie des gens n'ont que des pensées négatives. Quelle différence cela peut-il donc faire ? Peu importe les opinions des autres ! Allez donc de l'avant !

Essayez de célébrer vos échecs

Les hommes d'affaires et les directeurs de sociétés qui réussissent manifestent une excellente capacité à prendre des risques, mais rares sont ceux qui prennent des risques insensés. Ceux qu'ils prennent sont, normalement, jugés raisonnables. Leurs chances de gagner ne sont pas aussi minces qu'elles le seraient lors d'un pari stupide ni aussi grandes au point de donner à penser que la partie est gagnée d'avance. Les personnes qui détiennent des pouvoirs à l'heure actuelle se donnent des défis pour lesquels les probabilités de gagner ou de perdre sont raisonnablement équivalentes.

Retournons à l'exercice 11.2. La réussite dépend de nombreux facteurs. Ces facteurs incluent la communication, la vision, le leadership, l'intégrité, la sensibilité, la souplesse du raisonnement, la confiance, le courage et une conformité constructive. Cependant, le *Center for Creative Leadership* de Greensboro, en Caroline du Nord, a découvert un facteur plus important que tous les autres, qui donne aux gagnants l'avantage final.

Le facteur déterminant réside dans la capacité de gérer les échecs. Les personnes qui réussissent ne sont ni entravées ni arrêtées par ceux-ci. Elles voient d'un autre œil. Elles apprennent de leurs échecs ; en fait, leurs échecs sont les bienvenus, et elles les célèbrent.

Les revers essuyés par des gens qui ont réussi

Tout risque s'accompagne de la probabilité d'un échec. C'est le prix que nous devons être prêts à payer. Plus les risques sont élevés, plus grandes sont les probabilités de perdre. Cependant, c'est en prenant de grands risques que l'on s'expose à recevoir les plus grandes récompenses. Voici quelques exemples de personnes qui ont connu le succès malgré les échecs qu'ils ont subis à leurs débuts.

- Diane Sawyer a eu un des meilleurs emplois possibles à la télévision comme journaliste pour l'émission *Prime*

Time Live. Elle avait acquis de l'expérience en travaillant comme reporter météorologiste à Louisville, au Kentucky, pendant trois ans.

- Les camarades de classe de l'acteur (et comédien) Robin Williams l'avaient désigné comme étant l'élève de leur classe qui réussirait le moins bien.

- Christie Brinkley a admis qu'avant de devenir le mannequin vedette que l'on connaît, elle avait un surplus de poids et était une adolescente timide, rondouillarde « avec des bajoues de cochon d'Inde ».

- Jay Leno, l'animateur de l'émission *Tonight Show* a déjà travaillé comme fantaisiste dans un bordel.

- Un professeur a décrit un de ses élèves comme étant « intellectuellement lent, asocial, perdu dans des rêves insensés ». Ce jeune élève était nul autre qu'Albert Einstein, qui n'a pas su parler avant l'âge de quatre ans et lire avant sept.

- John Grisham, l'auteur de *La Firme* et du *Client*, deux livres qui se sont vendus à plusieurs millions d'exemplaires. Son premier roman, *Non coupable*, s'était vu refuser par vingt-huit éditeurs. Lorsque la maison d'édition Wynwood Press a décidé de le publier, il ne s'en est vendu que 5 000 exemplaires.

- Michael Jordan n'a pas pu faire partie de l'équipe de basket-ball de son école lors de sa deuxième année, car l'entraîneur de son école ne le trouvait pas assez bon.

> Lorsqu'on a réussi, la chose la plus difficile est de trouver quelqu'un qui s'en réjouisse.
>
> – *Bette Midler*

- Phil Donahue, personnage bien connu de la télévision, avait dû commencer à travailler dans une banque, après avoir raté sa première audition comme animateur de radio.

- Matthew Coon Come, le grand chef de la tribu indienne des Cree, au Québec, a connu beaucoup de revers dans ses batailles contre la toute-puissante société d'État Hydro-Québec, alors qu'il essayait de protéger les terres de son peuple contre les détournements du cours des rivières et les inondations. Cependant, grâce aux moyens créatifs qu'il a utilisés pour alerter l'opinion publique et aux victoires qu'il a remportées devant les tribunaux canadiens, il a réussi à faire annuler de lucratifs contrats d'exportation d'électricité de la société. Coon Come a récemment gagné un des prix les plus prestigieux en matière d'environnement, un prix de 60 000 $ de la fondation Goldmann.

- Jane Pauley a été nommée une des personnalités gagnantes à la célèbre émission *Dateline* de la chaîne NBC. Pourtant, dans sa jeunesse, elle avait perdu six fois lors d'élections scolaires.

Exercice 11.3 – Qu'ont en commun toutes ces personnalités?

- Lee Iaccoca (ancien P.D.G. de Chrysler)
- Sally Jessy Raphael (animatrice d'émissions télévisées)
- Rush Limbaugh (animateur d'émissions radiophoniques)
- Lily Tomlin (actrice et comédienne)
- David Letterman (animateur d'émissions télévisées)
- Stephen Jobs (cofondateur de la société Apple Computers, Inc., fabricants des ordinateurs MacIntosh)
- Ernie Zelinski

> Être rebelle quand c'est le moment n'est pas se rebeller.
>
> – *Proverbe grec*

Je parie que vous allez répondre que toutes ces personnes ont en commun la célébrité. Mon nom sur la liste détruit cependant cette théorie. En fait, la bonne réponse est que toutes ces personnes ont été renvoyées de leur emploi à un moment ou à un autre.

Lee Iaccoca a été licencié ignominieusement de chez Ford, malgré tout ce qu'il avait fait pour l'entreprise, avant d'être engagé par Chrysler. Henry Ford III a dit à Iaccoca qu'il le mettait dehors tout simplement parce que «Ford ne l'aimait pas».

Rush Limbaugh, le célèbre animateur de radio, raconte qu'il a été mis à la porte de tous ses emplois, sauf deux. Stephen Jobs a été licencié d'Apple Computers dont il avait été pourtant le cofondateur. Sally Jessy Raphael a été licenciée dix-huit fois en trente-six ans au cours de sa carrière à la télévision.

David Letterman a été mis à la porte de son emploi comme présentateur météo pour une chaîne de télévision d'Indianapolis pour avoir dit dans un reportage que les grêlons étaient de la taille de «jambons en conserve». Lily Tomlin a été congédiée du restaurant Howard Johnson où elle travaillait pour avoir annoncé au micro: «Votre serveuse préférée, Lily Tomlin, va faire son apparition. Applaudissez-la.» Les clients ont trouvé cela amusant, mais pas la direction, qui était plutôt constipée.

> *Il est de loin préférable d'être quelqu'un qui essaie de faire quelque chose et qui subit un échec que d'être une personne qui n'essaie rien et qui réussit.*
>
> *– Un sage anonyme*

Pourquoi ai-je été mis à la porte? Parce que j'ai osé prendre les huit semaines de vacances qui m'étaient dues et que mes patrons ne voulaient pas que j'en profite. Je travaillais pour cette entreprise de services depuis six ans. J'ai trouvé mes vacances très agréables, mais pas mes patrons. Ils se sont empressés de m'offrir des vacances permanentes lorsque je suis rentré au bureau, mais je me suis retrouvé en très bonne compagnie, auprès de Limbaugh, Raphael, Iaccoca, Tomlin, Jobs et Letterman. Pouvez-vous en dire autant? Si vous n'avez jamais été mis à la porte d'un emploi, vous ne possédez pas beaucoup de créativité.

Avertissement: le succès mène souvent à l'échec

Les personnes qui pensent de manière «positive» voudraient que la réussite nous mène de manière quasi automatique vers des succès répétés. Il y a un peu de vrai là-dedans. Réussir aide les personnes et les entreprises à avoir davantage confiance en elles. De plus, sur le chemin du succès, on acquiert de nouvelles techniques et de nouveaux principes, et cela nous aide à atteindre des niveaux supérieurs de réussite.

Ces personnes qui pensent «positivement» oublient de mentionner que rien ne nous conduit mieux à l'échec que le succès. Le succès peut mener à l'échec bien plus souvent qu'on ne le dit. Il existe deux principales raisons à cet état de choses. La première est la loi des moyennes: nous expérimentons normalement plus de tentatives infructueuses que de tentatives réussies. Les risques d'échouer sont beaucoup plus grands que les chances de réussir, même si l'on vient de connaître du succès.

La deuxième raison est liée à l'ego et à la suffisance. En général, les entreprises ou les individus qui viennent de remporter un vif succès ont tendance à se conduire comme des imbéciles. Ils sont portés à croire qu'ils connaissent en général toutes les solutions et toutes les réponses. Il n'y a rien de plus faux. Peu importe le succès qu'a pu remporter un produit, une technique ou un service, il ne sera pas bon pour tout le monde. Comme nous le savons, les circonstances changent et lorsqu'elles le font de manière abrupte, de nombreuses entreprises et de nombreuses personnes se retrouvent avec un produit, un service ou une technique qui n'a plus son utilité. Cette entreprise ou cette personne sont alors incapables de répondre aux nouvelles conditions du marché et des temps durs s'ensuivent.

On sait que les hommes d'affaires ont la réputation de monter des entreprises qui connaissent le succès et qui, par la suite, se retrouvent face à de graves problèmes financiers. Il arrive que des hommes (plus que les femmes), une fois arrivés au sommet, veuillent jeter de la poudre aux yeux de tout le monde. Ils s'offrent des maisons énormes, des voitures luxueuses et une foule d'autres biens au moment où leurs affaires sont à l'apogée. L'argent est donc siphonné à l'extérieur de leur entreprise au moment où tout commence à rouler. Dès qu'elle voit un secteur de l'industrie qui fonctionne bien, la concurrence, avide, veut sa part du gâteau. C'est justement à ce moment-là que l'entreprise a besoin de beaucoup plus d'argent pour faire face aux nouveaux venus aux dents longues. Si l'entreprise ne possède pas les fonds nécessaires, elle se retrouvera en grandes difficultés. Le succès mène alors à l'échec.

Être différent fait-il une différence?

Exercice 11.4 – Un trait commun aux personnes qui sortent de l'ordinaire

Qu'avaient en commun les personnalités suivantes?
• Mère Teresa
• Thomas Edison
• Albert Einstein
• John F. Kennedy
• Gandhi

Quel est le meilleur moyen d'apporter quelque chose de *vraiment* différent sur la terre? La réponse est: *commencez par être différent des autres*. Être créatif, c'est justement penser de façon différente. C'est également être différent des autres. Pour pouvoir créer quelque chose de nouveau et de valable, nous devons déroger aux normes. Cela exige du courage, car les personnes qui sont différentes sont mal vues des autres. Nous devons toutefois être différents, si nous voulons accomplir quelque chose d'important.

> *Principe de créativité:*
> Osez vous distinguer du reste du monde

Soyez différent si vous voulez que votre vie soit intéressante et passionnante. Soyez différent de ce que vous êtes normalement et différent de la majorité des personnes que vous croiserez dans votre vie. Autant vous prévenir tout de suite: lorsque vous aurez décidé de vous distinguer des autres, vous ne recevrez pas grand appui de la part de vos amis, de vos collègues de travail ou de la société, et ils ne vous encourageront pas dans cette voie.

C'est à l'intérieur de vous-même que vous devez rechercher la motivation nécessaire pour vous démarquer. Cette motivation viendra lorsque vous aurez réalisé que chaque chose d'une certaine importance a probablement été l'œuvre de quelqu'un qui se distinguait du reste du monde. En fait, il devait s'agir de personnes qui, d'une certaine façon, vivaient en marge de la société.

Pensez un peu aux personnes que j'ai nommées à l'exercice 11.4. Thomas Edison, Albert Einstein, Mère Teresa, Gandhi et John F. Kennedy ont apporté quelque chose de plus sur cette terre. Ils différaient du reste de la population, et c'est ce trait qu'ils ont en commun. Ils étaient déphasés par rapport à la société et n'étaient pas conformistes.

> *Dans le bois, il y avait deux chemins possibles à une intersection et j'ai pris le moins fréquenté. C'est cela qui a fait toute la différence.*
> – Robert Frost

N'oubliez pas que pour être une personne gagnante, vous devrez non seulement vous montrer différent, mais vous devrez aussi vous réjouir de votre différence. Certaines personnes seront mal à l'aise en votre présence et d'autres ne vous aimeront pas. Vous serez très critiqué, mais on vous respectera pour ce que vous êtes, surtout lorsqu'on commencera à s'apercevoir de la différence que cela fait. Bref, vous vous respecterez vous-même.

Les normes imposées par la société nous dictent nos façons d'agir et les objectifs à poursuivre. Nous pensons que pour nous sentir bien, il faut que tout le monde nous aime ou, du moins, un maximum de personnes. En fait, nous finissons par faire des choses totalement en désaccord avec notre vraie nature, pour avoir le simple privilège d'appartenir à un groupe. C'est alors que nous perdons le sens de ce que nous sommes vraiment.

> Si vous courez, vous risquez de perdre. Si vous ne courez pas, vous êtes sûr et certain de perdre.
>
> – Jesse L. Jackson

Il est certain que le fait de ne pas se conformer exactement aux normes et de vivre en marge de la société peut vous mettre mal à l'aise. Vous devrez subir le désagrément causé par les personnes qui vous railleront et qui vous critiqueront. Par contre, vous serez récompensé par une meilleure estime de vous-même et par une grande satisfaction personnelle. D'autres personnes qui ont les mêmes motivations que vous finiront par vous admirer et par vous féliciter, car vous aurez eu la force de vous hisser au-dessus de la mêlée.

Ne laissez pas cette envie que vous éprouvez d'être aimable avec tout le monde vous empêcher d'être différent. Le fait de vouloir être gentil avec tout un chacun signifie que l'on veut être aimé de tous. L'acteur anglais Robin Chandler a déclaré : «La maladie que représente le désir d'être gentil avec tout le monde handicape la vie plus que l'alcoolisme. Ces gentilles personnes ont tout simplement peur de dire non et se soucient constamment de l'opinion que les autres auront d'elles. Elles adaptent sans cesse leur conduite pour plaire aux autres et, finalement, ne font jamais ce qu'elles ont véritablement envie de faire.»

Donc, ne vous fondez pas dans la masse seulement pour avoir le sentiment d'être apprécié et accepté d'un groupe. Insistez pour être une personne qui a quelque chose d'unique à offrir à ceux qui préfèrent les humains aux clones. C'est en n'acceptant pas le statu quo et en vous séparant du troupeau que vous aurez le sens de ce que vous êtes réellement. Être différent signifie tout simplement que l'on ne fait pas quelque chose seulement parce que «tout le monde le fait». Lorsque quelqu'un vous suggérera de faire quelque chose pour cette raison, arrêtez-vous pour réfléchir à l'absurdité de cette demande. C'est notre instinct grégaire qui nous pousse à faire des choses uniquement pour nous conformer à la horde moutonnière.

Il est facile de suivre le troupeau. Vous avez dû remarquer que les personnes qui suivent le courant ne vont pas très loin, en fin de compte. Celles qui offrent quelque chose de différent, que ce soit dans l'industrie ou dans leur domaine de prédilection sont forcément différentes des autres. Voici quatre exemples supplémentaires de personnalités qui, en se distinguant des autres, ont posé des jalons dans le monde :

- Anita Roddick

- Margaret Thatcher

- Nelson Mandela

- Richard Branson

> Ne recherchez pas la sécurité. C'est le jeu le plus dangereux qui soit.
>
> – Sir Hugh Walpole

Anita Roddick, dont il a été question au chapitre 6, est différente parce qu'elle est connue pour avoir brisé beaucoup de règles dans sa façon d'administrer sa chaîne de magasins. Son entreprise, *The Body Shop*, ne dépense pas d'argent pour la publicité, alors que dans ce type d'entreprise, on dépense habituellement des millions de dollars en publicité et en marketing. The *Body Shop* ne compte que sur le bouche à oreille et n'investit pas beaucoup d'argent en recherches, contrairement aux autres entreprises de produits de beauté. Qu'utilise donc cette entreprise comme outil de recherches ? Rien d'autre qu'une boîte à suggestions, placée à l'intention des clients dans tous les magasins. Les emballages et l'image sont, d'après les experts, des éléments très importants de l'industrie des produits de beauté. *The Body Shop* utilise des flacons réutilisables, destinés, initialement, à une utilisation totalement différente – comme la collecte d'échantillons d'urine. Roddick encourage tous ses magasins à s'engager à verser 25 pour cent (et non 25 cents comme le font beaucoup d'entreprises) de leurs profits à un projet communautaire et leurs rapports annuels sont imprimés sur des cartes postales.

Margaret Thatcher est le Premier ministre anglais qui a été le plus longtemps en poste au cours du vingtième siècle. Il est intéressant de savoir que lors d'un sondage en 1988 entrepris

par le musée de cire de Madame Tussaud, la « Dame de fer »
s'est classée au deuxième rang, après Adolf Hitler, comme étant
la plus détestée de toutes les personnes passées et présentes. En
1983, elle avait eu le quatrième rang et en 1978, le troisième.
Elle était détestée, mais respectée. Elle était également aimée.
Quoi qu'on en dise, il est certain qu'elle l'était. Sinon, elle
n'aurait pas été réélue trois fois de suite.

> *Nous perdons les trois quarts de notre personnalité pour être comme les autres.*
> – Arthur Schopenhauer

En 1994, Nelson Mandela est devenu le premier
président noir en Afrique du Sud, après avoir
réussi à éliminer l'apartheid dans son pays. En
1960, il avait été condamné pour sabotage et tra-
hison lors de sa lutte contre la ségrégation raciale.
Il a été libéré après avoir passé vingt-sept ans en
prison. La volonté déployée par Mandela pour être différent
lui a permis cette ascension remarquable vers le pouvoir.

Richard Branson a été rejeté par les hommes d'affaires anglais,
qui l'avaient jugé comme étant « barjo ». Ils ont essayé de dis-
créditer Branson de toutes les façons possibles, au cours des
dernières années. La compagnie d'aviation Virgin Atlantic
Airways, qui appartenait à Branson et contre laquelle British
Airways a mené une campagne de diffamation infructueuse, a
réussi à atteindre un revenu de 750 millions de dollars sur le
marché anglais. Sa compagnie aérienne représente la jeunesse,
l'indépendance et le toupet, qui sont les traits de caractère de
son personnage préféré, Peter Pan.

Il est tout à fait certain que Richard Branson est différent, mais
il a connu une réussite extraordinaire et le public britannique
l'aime. La BBC a entrepris un sondage pour savoir quelles sont
les personnes qui devraient réécrire Les dix commandements.
Branson est arrivé en quatrième position après Mère Teresa,
le pape et l'archevêque de Canterbury. Il est certain que tous
les hommes d'affaires qui ont qualifié Branson de « barjo »
donneraient leur bras gauche pour connaître la popularité
et le respect que le public de la Grande-Bretagne voue à cet
homme.

Vous remarquerez que pour récolter ne serait-ce qu'une par-
celle de la reconnaissance publique obtenue par Branson, vous
n'arriverez jamais à quelque notoriété que ce soit dans la vie
si vous restez dans le troupeau. Pour ma part, j'ai obtenu pas
mal de publicité grâce aux cent articles – et davantage – que j'ai

écrits, aux interviews que j'ai données à la télévision nationale et dans les différents postes de radio, et aux commentaires qui ont été faits sur mes livres et sur ma manière de vivre dans les magazines. Cette publicité gratuite m'aurait probablement coûté plus de 200 000 $ si j'avais dû acheter de l'espace publicitaire pour faire la promotion de mes livres. Et puis, il est certain qu'une publicité achetée n'aurait pas été aussi crédible ni aussi efficace. Ce que je veux vous montrer en vous disant cela, c'est que ce n'est pas en restant au sein du troupeau que j'ai obtenu toute cette publicité gratuite.

> *La créativité est inversement proportionnelle au nombre de cuisiniers qui veulent participer à la préparation de la soupe.*
>
> *– Bernice Fitz-Gibbon*

Vous aurez beaucoup de mal à obtenir ne serait-ce que les fameuses «quinze minutes de renommée» qui reviennent à tout être humain (selon le roi du «pop art», Andy Warhol), si vous êtes la copie conforme de tous les autres humanoïdes de cette planète. Les médias ne sont pas là pour fournir de la publicité gratuite à qui que ce soit. Ils sont en affaires pour offrir de bonnes histoires à leurs lecteurs. J'ai découvert, il y a très longtemps, que les médias seraient beaucoup plus enclins à écrire à mon propos si je suivais les trois principes suivants.

- Être le premier
- Être différent
- Oser.

Il est très important d'être le premier. Si je vous demandais quelle a été la seconde équipe à atteindre le sommet de l'Everest, vous ne la connaîtriez probablement pas. «En effet, qui s'en souvient?» direz-vous. La plupart du temps, on ne se rappelle pas qui a été la seconde personne à accomplir quelque chose de différent. C'est cruel, mais c'est comme ça. (Au cas où vous voudriez vraiment le savoir, car elle a tout autant de mérite que la première, la deuxième équipe à atteindre le sommet de l'Everest a été celle de Jurg Marmet et de Ernest Schmidt.)

Il est également important d'être différent et d'oser. Dick Drew, l'animateur de l'émission de radio *The Canadian Achievers* (Les Canadiens gagneurs), diffusée sur la chaîne nationale, et auteur du livre du même nom, avait fait imprimer

> *Lorsque l'on saute par-dessus un obstacle, il est certain que l'on va atterrir quelque part.*
>
> *– D.H. Lawrence*

sur sa carte de visite une citation qui, je crois, peut nous donner de la force. J'ai toujours la carte de Drew dans mon porte-documents, pour pouvoir la relire de temps à autre. Voici ce qu'elle dit.

> Vous n'irez probablement pas plus loin que la foule si vous la suivez. Par contre, si vous marchez seul, vous irez sans doute dans des endroits qui n'ont encore jamais été foulés par l'homme.
>
> Réaliser quelque chose ne se fait pas sans difficultés, car la singularité attire le mépris. La chose la plus triste qui se produit lorsqu'on est un précurseur, c'est que lorsque les gens finiront par réaliser que vous aviez raison, ils diront tout simplement que ce que vous avez fait ou découvert était évident pour tout le monde.
>
> Dans la vie, vous avez deux choix. Vous pouvez soit vous fondre dans la multitude, soit décider d'être un gagneur qui se distingue des autres. Pour y parvenir, vous devez être différent. Et, pour être différent, vous devez vous efforcer d'être nul autre que vous-même.

Lorsque tous les hommes pensent de la même manière, aucun d'entre eux ne pense véritablement.
– Walter Lippman

Si vous décidez de mener une vie anonyme, allez-y, et faites comme tout le monde – mêlez-vous aux autres et entrez dans le troupeau. Lorsque l'on se conforme strictement aux lois et coutumes de la société et que l'on raisonne comme le reste du monde, on se retrouve devant le cas classique où l'on fait ce qui est facile pour obtenir un quelconque bien-être à court terme. Vous ne serez pas une personne originale, si vous vous comportez de cette façon. Vous ferez partie du groupe, et tout le monde vous aimera avec une relative modération. Cependant, à long terme, votre vie deviendra plus difficile, parce que votre respect de vous-même aura souffert et que vous n'aurez retiré aucune satisfaction d'avoir accompli la même chose que tout le monde.

En essayant de faire partie du groupe, en souhaitant que la majorité des gens vous aime, vous finirez par être aimé d'un peu tout le monde, mais personne ne vous aimera vraiment. Vous n'obtiendrez jamais une vraie reconnaissance ni la gloire en jouant le mouton de Panurge. Vous êtes une personne unique et vous méritez un traitement unique. Alors, de grâce, n'essayez pas d'être un quelconque quidam.

Pour être heureux et vivre longtemps, essayez de faire preuve d'excentricité

Alan Fairweather habite en Écosse. Il ne mange que des pommes de terre, qu'elles soient bouillies, cuites au four ou frites. Il ne lui arrive que très rarement de transgresser cette règle et de manger une tablette de chocolat pour ajouter un peu de variété dans sa vie. Fairweather ne fait pas que choisir les pommes de terre comme base de son alimentation : ces tubercules sont sa vie et, évidemment, il les adore. Il a un emploi d'inspecteur de pommes de terre pour le ministère de l'Agriculture de l'Écosse.

Vous êtes sans doute en train de vous dire : « Fairweather est un excentrique. » Vous avez tout à fait raison. Quoi que vous puissiez penser, ne prenez pas ce monsieur et ses semblables en pitié. Fairweather est un « vrai » excentrique, selon le docteur David Weeks, psychologue, et l'écrivain Jamie James, qui ont écrit ensemble le livre intitulé *Eccentrics*.

Les excentriques, comme cet amoureux des pommes de terre, passent la plus grande partie de leur temps seuls. Weeks et James ont découvert que les excentriques n'étaient pas malheureux. Il est même assez surprenant d'apprendre qu'ils sont, en fait, beaucoup plus heureux que le reste de la population. Ils ont aussi une meilleure santé et vivent plus longtemps. Et voici quelque chose pour ceux d'entre vous qui pensez que les excentriques sont fous : en fait, Weeks et James ont découvert que ceux-ci sont bien plus intelligents que la grande partie de la population. Les vrais excentriques sont non conformistes, extrêmement créatifs, curieux, idéalistes, intelligents, n'ont pas peur de donner leur avis, et ont tous un hobby qui les obsède. Weeks et James ont étudié plus de 900 excentriques et ont découvert que la plupart de ces hommes et de ces femmes vivent seuls parce que les autres les trouvent trop bizarres pour vivre avec eux. Cependant, le fait de vivre seul ne pose· pas de problèmes aux excentriques. C'est comme cela qu'ils sont à leur meilleur.

Les excentriques jouissent de beaucoup de liberté, un luxe que beaucoup de gens ne peuvent pas s'offrir. Ils ont toute la liberté pour poursuivre les hobbies qui les passionnent et mener leur vie à leur guise. Ils sont libérés du besoin de se conformer à la norme et se moquent pas mal de l'opinion des autres. Leurs forts traits de caractère, tout spécialement leur confiance en eux-mêmes et leur liberté d'esprit, les aident à atteindre un grand bonheur et à vivre longtemps. La morale de cette histoire : si vous voulez être heureux et vivre vieux, essayez donc d'être excentrique.

Les règles et les hypothèses qui ne doivent pas régir nos vies

Être différent signifie défier le statu quo. Les gens et les organisations doivent constamment défier les règles et les hypothèses. Lorsque l'on conteste des règles démodées et des hypothèses non prouvées, une nouvelle perspective sur la situation de nos affaires s'offre à nous. Il sera plus facile d'innover et les réalisations de nos entreprises s'en trouvent améliorées.

Beaucoup de règles, écrites ou non, sont périmées et ne servent strictement à rien. On obéit souvent aux règles sans même se demander s'il existe une raison valable qui justifie leur existence. Ces règles peuvent paralyser le développement de nouvelles idées et entravent l'implantation de nouvelles façons de faire fonctionner les entreprises.

Les médecins et les avocats canadiens ont été soumis pendant de nombreuses années à un règlement qui les empêchait d'annoncer leurs services. Ce règlement les empêchait d'expliquer au public les genres de services qu'ils pouvaient leur offrir. Ce n'est qu'après une remise en question de ce règlement par les membres de ces corporations qu'ils ont pu s'en débarrasser. À l'heure actuelle, ils peuvent donc faire davantage de publicité.

Principe de créativité :

Contestez les règles et les idées préconçues

Nous avons le devoir de contester en permanence non seulement les règlements mais aussi les idées toutes faites. Le tribunal de notre jugement se fait constamment des idées sur la façon dont tout fonctionne. Ces idées n'ont souvent que peu, voire aucun lien avec la réalité. Ce n'est qu'en remettant en question ces idées préconçues que nous pourrons déterminer leur validité.

La majeure partie des employeurs, par exemple, croit à tort que l'argent est la motivation première de leurs employés. S'ils pensent ainsi, ils auront du mal à motiver leur personnel. Les chercheurs ont découvert que la reconnaissance et les chances d'obtenir de l'avancement motivent davantage les employés que l'aspect financier. Le fait de penser que l'argent est le premier facteur de motivation des employés est une idée préconçue qui entrave le bon fonctionnement des entreprises.

Rompez les règles pour votre plaisir et votre bénéfice

De nombreuses entreprises doivent leur succès au fait qu'elles ont été prêtes à contester les règlements et les idées préconçues au sein de leur secteur d'activité. La plupart des entreprises commerciales n'ayant pas la présence d'esprit de contester le statu quo, de nombreuses occasions s'offrent à elles et à leurs employés pour développer de nouvelles méthodes de travail en contestant les règlements. Lorsque nous examinons les sociétés les plus prospères à l'heure actuelle, nous voyons qu'il s'agit d'organisations qui ont pris le risque d'être différentes et de contester les règles.

Voici deux exemples d'entreprises qui ont profité de la détermination de leurs employés pour contester les anciennes manières de conduire leurs affaires.

- Stephen Nichols a pris la direction opposée et a contesté les règles que *Nike* et *Reebok* utilisent pour commercialiser leurs chaussures de tennis et de basket. Ces grandes entreprises, dont le chiffre d'affaires est considérable, offrent des produits dont la durée de vie en magasin est de quatre mois. Ces potentats de la chaussure de basket basent leurs stratégies de vente en changeant continuellement leurs modèles afin d'avoir l'air branchés aux yeux des jeunes consommateurs, toujours plus difficiles. Nichols et son entreprise, la *K-Swiss Company*, ont réussi à faire progresser leurs ventes de 20 millions de dollars en 1986 à 150 millions en 1993 en vendant des modèles de baskets qui ne changent pas tous les mois à une clientèle plus mûre, constituée de sportifs du dimanche et d'amateurs de tennis. De nombreux commerces de détail apprécient tout spécialement ces

> Par ici, il n'y a aucune règle! Nous sommes en train d'essayer de faire quelque chose de nouveau.
>
> – *Thomas Edison*

modèles, parce qu'ils n'ont pas besoin de les mettre en solde de façon systématique pour faire place aux «nouveautés».

- Franck Buckley voulait absolument que le sirop contre la toux que son entreprise fabriquait soit différent des autres sur le marché. Il a alors décidé de rompre avec les règles publicitaires voulant que l'on ne doive pas insister sur le côté négatif d'un produit. Le sirop Buckley's Mixture Ltd a été inventé il y a soixante-dix ans. Son goût était atroce à cette époque et il l'est encore aujourd'hui. Au milieu des années 1980, ses ventes avaient chuté de quatre pour cent sur le marché des sirops du genre. Mettant au défi toutes les règles conventionnelles de marketing, Frank Buckley a décidé de mettre l'emphase de sa campagne publicitaire sur le mauvais goût de son produit. Un passage de l'annonce publicitaire montrait Frank Buckley faisant une horrible grimace. Le texte disait : «Je viens de sortir d'un cauchemar où quelqu'un voulait me faire goûter mon propre médicament.» La campagne publicitaire de Buckley lui a valu plusieurs prix. Les ventes de son sirop ont augmenté de 16 pour cent en 1989, alors que les ventes dans ce domaine déclinaient de un pour cent sur le marché; les actions de Buckley ont grimpé de six pour cent.

> La créativité vient lorsque l'on rompt avec les règles, en disant, par exemple, que l'on est amoureuse d'un anarchiste.
>
> – Anita Roddick

Vous devez rompre avec les règles lorsque vous parlez

Fébrile, le présentateur marchait de long en large. Il a mis les mains dans ses poches, a hurlé, a lancé des jurons. Il n'était pas aussi bien habillé qu'il aurait dû l'être. J'ai discuté de la performance de cet orateur avec le président des *Toastmasters* 1989-1990. Il a fait remarquer que l'orateur avait rompu avec toutes les règles des *Toastmasters*[11], sauf une. La règle que cet homme n'avait pas brisée était la suivante : «Restez connecté avec votre auditoire».

---

11. Organisation américaine à but non lucratif fondée en 1924 par le Dr Ralph Smedley pour promouvoir l'art oratoire. Existe dans les pays francophones (par exemple, en France : Paris, Orléans, Valenciennes; et au Québec : Montréal, Granby, Bromont, etc.

Que vous soyez un étudiant ou un chef d'entreprise, il est à peu près certain qu'un jour ou l'autre vous devrez faire une présentation devant un groupe. Si vous tenez à ce que votre présentation soit bonne, je vous conseille en premier lieu d'apprendre toutes les règles de l'art oratoire et ensuit d'en oublier un maximum.

Lorsque l'orateur et l'auditoire sont déso-rientés, cela signifie que le discours est profond.

– Oscar Wilde

L'orateur que nous venons de citer est Tom Peters, le coauteur du livre *In Search for Excellence* (Le prix de l'excellence). Il a publié également d'autres livres à succès. Il n'a pas suivi les règles et pourtant, il a attiré plus de 1 500 personnes à la conférence qu'il donnait à Vancouver. Son revenu annuel, comme conférencier, dépasse plusieurs millions de dollars.

Une des raisons du succès de Tom Peters est qu'il est très créatif. Être créatif dans un domaine signifie défier et quelquefois briser les règles écrites et non écrites. Les règles sont directement reliées aux méthodes à suivre, et nous nous concentrons trop souvent sur la façon de suivre le bon procédé plutôt que de rechercher les bons résultats.

Quiconque a lu un livre ou pris un cours pour apprendre à faire des présentations efficaces est tombé sur un grand nombre de règles qui l'aident à y parvenir. Un grand nombre de ces règles est valable, en tant que directives générales. Toutefois, si ces règles sont appliquées comme des commandements, elles peuvent causer beaucoup de tort à notre performance.

Voici sept règles proposées de façon générale par les personnes qui nous enseignent à faire de bonnes présentations. Je brise régulièrement quelques-unes de ces règles sans que qui que ce soit ait l'air d'en souffrir. J'ai vu d'autres orateurs déroger à d'autres règles pour leur plus grand bien.

La plupart des gens se fatiguent des conférences au bout de dix minutes; les plus intelligents s'en lassent après cinq minutes et les personnes sensées n'y assistent jamais.

– Stephen Leacock

Règle – Sachez exactement ce dont vous allez parler. Il est important d'avoir un plan élémentaire pour toute présentation ou pour tout discours que vous allez faire. Cependant, lorsque vous collez trop au plan de votre présentation, vous vous privez peut-être des possibilités de découvrir de nouveaux horizons. Lors de mes conférences et de mes présentations, je me laisse souvent la possibilité d'élaborer sur des sujets imprévus. Certaines des activités que je planifie lors de ces conférences ont été découvertes alors que j'essayais d'innover.

Règle – Au bout d'une heure, faites une pause. Nous en étions à la moitié d'une conférence de trois heures quand j'ai demandé aux participants s'ils voulaient faire une pause. Ils ont suggéré de continuer la conférence et de prendre notre café à la fin. Nous n'avons jamais fait de pause au cours de cette conférence et l'indice d'écoute a été excellent – et voilà donc ce qui déboulonne la règle de la pause. Il est certain que si vous avez réussi à maintenir un intérêt soutenu, vous risquez de briser l'effet dynamique de la conférence en l'arrêtant tout simplement parce que l'horloge indique qu'il est 10 heures. Les pauses sont conçues pour le bien-être des participants.

Règle – Permettez les discussions, mais pas les débats animés. Le but de cette règle est d'éliminer ce qui peut devenir désagréable. Oui, les débats où les esprits s'échauffent peuvent être détestés de beaucoup, mais certaines personnes les apprécient. «J'aime les sessions qui font grimper mon taux d'adrénaline», écrivait un participant sur la feuille d'évaluation de mon séminaire. C'est ce genre de commentaire qui m'a incité à rompre avec la règle qui préconise l'absence de débat animé. À l'heure actuelle, j'encourage ce genre de discussion. Il y a plus de personnes qui les apprécient que de personnes qui s'en trouvent incommodées. Oui, il faut diriger correctement les débats houleux, mais ceux-ci peuvent rendre une conférence bien plus attrayante pour la majorité des participants.

Règle – Prévoyez du temps pour une période de questions. Cette règle peut bien être une règle en béton armé si vous êtes responsable de former des gens. Mais que se passe-t-il si vous ne faites que livrer un discours? Quelques-uns des orateurs les mieux payés admettent qu'ils évitent les questions parce qu'ils disent ne pas savoir y répondre. Il ne semble pas que leur popularité en souffre. Ces orateurs sont toujours aussi populaires; on les engage, encore et encore. Au cas où vous voudriez éviter les questions, essayez de voir si vous pouvez vous en tirer. Vous n'éprouverez aucun problème si votre public a aimé votre présentation.

Règle - Les supports visuels. Lors d'une conférence internationale, il y a quelques mois, un expert en pensée critique a parlé pendant une heure et demie sans recourir à quelque support visuel que ce soit. Sa présentation a été l'une des meilleures à laquelle il m'ait été donné d'assister. J'ai également vu un présentateur qui n'a pas décollé de son projecteur pendant les quatre-vingt-dix minutes qu'a duré sa présentation. On ne peut pas vraiment dire qu'il ait été horrible; au mieux, on aurait pu le qualifier de médiocre. Beaucoup d'orateurs (et je suis l'un d'entre eux) ont pour règle de toujours utiliser un support visuel, mais je ne crois pas que ce soit obligatoire pour tout le monde.

Règle – Ne vous fâchez pas, et si vous êtes fâché, ne le montrez pas. Il existe une croyance un peu singulière dans les cabinets-conseil nord-américains en motivation. Cette croyance veut qu'un orateur qui sort de ses gonds soit en se fâchant, soit en étant trop émotif, a tort. Je ne partage pas cette croyance. Si la raison est bonne, je ne me retiens pas. Je laisse l'auditoire savoir ce que je ressens. Quel bénéfice peut-on tirer du fait d'exposer ses émotions devant un auditoire?

Lorsque j'affiche ce que je ressens, cela prouve que je m'intéresse à ceux qui m'écoutent. Si tel est le cas, eux aussi s'intéresseront à moi.

Ses sermons étaient entièrement gratuits et méritaient parfaitement leur prix.

– Mark Twain

Règle – Ne vous moquez pas de personne. Lors de mes conférences, je peux me moquer de certaines personnes et rendre tout le monde heureux. Lorsqu'un participant fait tout pour se faire remarquer pendant que je parle, il en fait gentiment les frais. Pour ce type de personne, une attention, même négative, est meilleure que l'indifférence. Elle est ravie de capter mon attention, et le reste des participants est satisfait de me la voir prendre à partie. En fin de compte, je suis heureux de voir que tous les participants y trouvent leur compte. Une chose est certaine: vous ne devez pas vous en prendre à quelqu'un dans le simple but de le ridiculiser.

La seule règle que vous ne devez jamais briser est celle qui exige que vous restiez branché sur votre auditoire. Si jamais vous faites tout dans les règles mais que votre public n'est pas sur la même longueur d'ondes que vous, cela signifie qu'il est temps de mettre à la poubelle le livre des règles. Essayez de briser quelques-unes de ces règles, histoire de changer un peu.

CHAPITRE 12

LA PENSÉE CRÉATRICE EST UN EXERCICE OÙ L'ON S'AMUSE À FAIRE DES SOTTISES

Kilroy n'est pas passé par là!
– Clem

Grandir peut gravement nuire à la santé

L'illustration ci-dessus représente le mystérieux «Clem», qui est venu d'Angleterre et qui est apparu dans des milliers de toilettes de nombreux pays. On l'a souvent pris pour le légendaire «Kilroy est passé par-là» qui, lui, est né aux États-Unis, et dont la présence a été également très remarquée dans les *pipi-rooms*. Au fil des années, le nom de Kilroy a été associé avec l'image de Clem dans les toilettes d'Amérique du Nord. De nombreux Américains pensent que Clem est Kilroy. Absolument pas. Clem est Clem et Kilroy est Kilroy.

> L'imagination a été donnée à l'homme pour le compenser de ce qu'il n'est pas. Le sens de l'humour lui a été fourni pour le consoler de ce qu'il est.
>
> – Horace Walpole

Je suis sûr qu'à l'heure actuelle vous vous demandez ce que cette histoire de graffitis peu intellectuels peut avoir en commun avec cet ouvrage. Absolument rien. J'aime cette histoire et j'avais besoin d'un élément créatif pour attirer votre attention sur cette partie de mon livre. J'ai pensé que le moment était parfait pour faire l'idiot et arrêter d'être raisonnable. De plus, je voulais vous raconter cette histoire au sujet de Clem et de Kilroy, ce qui ne sera d'ailleurs d'aucune utilité pour qui que ce soit.

Oscar Wilde a dit : « La vie est trop importante pour qu'on la prenne au sérieux. » Quelles sont les limites de votre vie sérieuse ? Trouvez-vous le temps de rire, de jouer et de faire des idioties ? Vous sabotez votre créativité, si vous êtes tout le temps sérieux et que vous essayez d'être raisonnable en permanence. Les personnes constipées du cerveau, qui se prennent trop au sérieux et qui ne s'amusent que très rarement, n'arrivent pas à découvrir quelque chose de nouveau et de remarquable.

> Cherchez le ridicule en tout, vous le trouverez.
>
> – *Jules Renard*

Le jeu est au cœur de la créativité. Jouer et s'amuser constituent autant d'excellents moyens de stimuler notre esprit. Lorsque nous nous amusons, nous avons tendance à relaxer et à nous montrer enthousiastes. Il peut même arriver que nous nous laissions complètement aller et que nous dépassions les bornes. Tous ces états sont complémentaires à l'esprit créatif.

De nombreuses personnes de plus de soixante ans ont un incroyable appétit de la vie et démontrent une très grande vitalité, de l'enthousiasme et une grande capacité physique pour vivre jusqu'au-delà de quatre-vingt-dix ans. Pour ces personnes âgées, le fait d'avoir atteint un âge avancé leur donne envie de rattraper le temps perdu. Les personnes âgées qui vivent pleinement leur vie ont pleinement conscience qu'elles vivent vraiment. Elles ont réussi à développer certains traits de caractère qui sautent aux yeux.

Un des traits les plus précieux qui caractérisent ces personnes âgées aimant la vie est leur faculté d'émerveillement – la capacité d'apprécier chaque arc-en-ciel, chaque coucher de soleil et chaque pleine lune. Voici d'autres qualités que les participants à mes séminaires ont pu remarquer chez les personnes âgées pleines de vie qu'ils connaissent :

Elles sont indépendantes,   énergiques,
amicales,   créatives,
curieuses, spontanées.

Elles ont des intérêts diversifiés,	sont fofolles ou peuvent agir avec un grain de folie.
Elles ont le sens de l'humour, aventureuses, joyeuses.	sont joueuses,

Vous noterez que si ces traits de caractère se retrouvent chez une minorité de personnes âgées, ces mêmes caractéristiques se retrouvent chez toutes les personnes d'une autre tranche d'âge : les enfants. En d'autres mots, les personnes actives et heureuses pendant leurs vieux jours n'ont pas besoin d'une seconde enfance : elles n'ont jamais renoncé à la leur !

Vous êtes-vous déjà demandé pourquoi les enfants sont si créatifs ? L'une des raisons les plus importantes est qu'ils savent jouer et s'amuser. Souvenez-vous de ce que c'était, lorsque vous étiez petit. Vous appreniez tout en jouant. Vous avez certainement beaucoup plus appris pendant ces moments plaisants que pendant les moments plus sérieux. Si vous voulez accroître votre créativité, essayez de faire revivre l'enfant en vous.

La créativité exige du jeu, du rêve éveillé et de la folie – toutes choses que la société décourage. On nous demande de « grandir ». Il faut que nous puissions ne pas faire attention à ce que la société exige de nous. Pour augmenter notre créativité, nous devons apprendre de nouvelles façons de jouer avec les choses, avec les mots, avec les devinettes, les idées et les personnes. Nous ne devons jamais grandir. Pourquoi ? Parce que si nous grandissons, nous allons un de ces jours cesser de grandir.

L'humour n'a rien de drôle

Après avoir atteint quatre-vingt-dix ans, le fantaisiste George Burns a commencé à prendre des rendez-vous et à retenir des salles pour son centième anniversaire. Burns a vécu au-delà de cent ans, principalement à cause de l'attitude positive qu'il a toujours conservée au long de sa vie. Il a fait de l'humour une carrière. Sa santé en a bénéficié, sans aucun doute. Les chercheurs ont découvert que si l'on rit bruyamment plusieurs fois par jour, cela provoque le même effet que de courir 15 kilomètres. D'autres études ont démontré que le

Principe de créativité :
Amusez-vous et faites les fous

rire et le sens de l'humour sont très bénéfiques et nous permettent de combattre le stress quotidien.

En plus d'être excellent pour la santé, le sens de l'humour est très efficace pour stimuler la créativité. Les experts ont observé que des solutions remarquables ont été découvertes grâce à l'humour. Le fait d'être très sérieux entrave la créativité. La meilleure chose à faire, lorsque l'on vit beaucoup de stress ou que l'on est dans un état d'esprit embourbé, est d'aller chercher un livre de blagues. Rencontrez quelqu'un qui rit facilement ; faites le fou : vous serez surpris de voir la quantité d'idées créatrices qui surgiront dans votre esprit.

Il y a quelques années, un groupe d'élèves du secondaire a dû faire un test de créativité. Deux groupes furent formés. Avant le test, un des groupes a écouté, pendant une demi-heure, l'enregistrement d'un comédien qui racontait des blagues. L'autre groupe a passé cette demi-heure en silence. Lorsque le test leur a été soumis, les élèves du premier groupe ont eu de bien meilleurs résultats que ceux du second.

Le genre comique et le rire vous offrent de nouvelles occasions de réfléchir. Le rire a tendance à vous faire voir les choses et les événements de façon inhabituelle, parce que le rire change votre état d'esprit. On se moque bien de savoir si l'on a tort ou raison ou si l'on doit être pragmatique : il n'y a pas de mal à s'amuser. C'est ainsi que les idées créatrices jailliront. Introduire des moments drôles dans le milieu de travail est une façon de stimuler la créativité. Vous pourrez plus facilement rompre avec les règles, si vous vous amusez un peu au travail. Lorsque vous vous amusez de votre problème, vos défenses tombent et vos barrières mentales disparaissent. Il en résulte des réponses plus innovatrices et plus passionnantes. Les chefs d'entreprise devraient apprendre à encourager leurs employés à insérer un aspect ludique dans tous les secteurs importants de leur travail.

Exercice 12.1 – Des abréviations pour faire travailler votre esprit

Cœur léger vit longtemps.
— *William Shakespeare*

Pourquoi ne pas vous amuser un peu avant votre prochaine réunion de travail ? Le jeu met tout le monde dans un meilleur état d'esprit. Une façon de le faire est de se livrer à quelques jeux ou à des devinettes.

Les abréviations ci-dessous ont un rapport avec des associations ou des relations que vous connaissez. Amusez-vous avec celles-là avant d'inventer les vôtres. Puis, repassez-les à vos collègues de travail avant la prochaine réunion.

Exemples : 24H = 1J (24 heures = 1 journée) PDN=BN (pas de nouvelles = bonnes nouvelles)

1. 4P = H
2. BMW + MB + P + J = QVR
3. 100 C = 1 M
4. S + N + E +O = 4PC
5. Le PN vit au PN
6. 50 E = EU
7. 10 D = IS
8. 1 + 3 Z = 1 T
9. LA + SF + SD sont en C
10. DE + JFK + RR étaient P
11. IWTHYH a été chanté par les B
12. L'A N'a P d'O
13. 7 + 3 ; 13 + 3
14. 1 A + 1M = 13 M
15. MJ chante avec les RS
16. 1 H + 1 F + 1 E = 1 F
17. JC est né le J de N
18. P T n' P V
19. 4,5S = M
20. JDM + LP + LS + LD = Q
21. O à P pour D à P
22. ABCBR
23. LDYLDC
24. QNRNR
25. 24 M = 2A

(Voir l'annexe page 261, pour la solution à la devinette n° 1 et pour des indices qui vous permettront de résoudre les autres.)

Un peu plus de graffitis pour vous nettoyer l'esprit

Avec toutes les barrières que la société dresse pour entraver la créativité, beaucoup de personnes trouvent que les lieux d'aisance sont le seul endroit qui existe où elles ont la possibilité de se montrer créatrices. Beaucoup des graffitis qu'elles y laissent dénotent une grande créativité. Voici deux pages supplémentaires de ces graffitis. S'il vous plaît, partagez ces graffitis avec vos collègues avant la prochaine réunion. Cela pourra éveiller une certaine créativité au sein de votre groupe.

DIEU EST MORT.
(Notre Dieu est bien en vie. Désolé pour le vôtre!)

58 % DE TOUTES LES MORTALITÉS SONT FATALES.

Réunion dansante à la salle municipale tous les samedis soir cette semaine.

Nous vivons une époque opaque.

JE VOUS PARIE CINQ DOLLARS QUE JE PEUX M'ARRÊTER DE PARIER.

Les quintuplés Dionne? Un canular! Il y avait cinq couples sur le coup!

Un taxi vide s'est arrêté, Ronald Reagan en est sorti.

Je n'ai aucun préjugé. Je déteste tout le monde.

Le temps est un moyen que la nature a trouvé pour s'assurer que tout ne survienne pas au même instant.

Un homme bleu peut-il chanter les Blancs?

MES COMPLEXES D'INFÉRIORITÉ NE SONT PAS AUSSI BONS QUE LES VÔTRES.

J'ai écrit cela sur le mur parce qu'il était là.

Les pensions alimentaires, c'est comme acheter du foin pour une vache crevée.

Si tu fais ça dans un cabriolet MG, ne te vante pas de ton Triumph.

Avec la schizophrénie, vous n'êtes jamais seul.

DIEU VOUS AIME!
(DIEU NE VOUS AIMERA PAS LONGTEMPS SI VOUS GRIBOUILLEZ SUR LE MUR DU VOISIN.)

PEINTURE FRAÎCHE
(Ceci n'est pas un graffiti.)

L'hypocondrie est la seule maladie dont je ne sois pas atteint.

JE N'AI JAMAIS PU FINIR QUOI QUE CE SOIT
MAIS AUJOURD'HUI JE COMPTE BIEN FIN...

Vous retrouverez bientôt ce mur sous
forme de livre de poche.

Si une idée ne vous paraît
pas bizarre, il n'y a aucun
espoir.

– *Niels Bohr*

L'humour au service des choses sérieuses

Voici un exemple de la façon dont l'humour m'a aidé à lancer sur le marché mon livre et mes conférences. Après avoir publié mon premier livre, je me suis retrouvé avec environ vingt-cinq livres défectueux ; ils avaient été mal coupés ou il leur manquait des pages. J'ai rapporté ces livres chez mon éditeur en espérant qu'il me les rembourse. Cependant, mon éditeur m'a répondu qu'il m'avait donné huit livres supplémentaires que je n'avais pas payés. J'ai donc décidé de ne pas les jeter et de les mettre de côté.

Un beau jour, j'ai rencontré Lance, un de mes anciens collègues. Étant donné que Lance voulait me parler de la façon dont je m'y étais pris pour publier mon livre, nous avons décidé d'aller prendre un café ensemble. Lors de la discussion, je lui ai mentionné l'existence de ces livres défectueux dont je ne savais pas encore trop quoi faire. Lance m'a lancé en riant quelque chose de stupide qui ressemblait à peu près à ceci : « Envoie-les à des personnes que tu n'aimes pas. » Quand une personne dit quelque chose d'idiot, j'ai toujours envie de surenchérir. J'ai donc répondu : « Je peux faire mieux que cela ; je peux les couper en deux, et leur envoyer soit la partie du haut, soit la partie du bas... »

Cette nuit là, lorsque je suis rentré chez moi et que je me suis couché, je n'ai pas réussi à m'endormir, parce que je n'avais pas suivi un de mes plus importants principes de créativité : écrire toutes les idées qui me passent par la tête. Je suis sorti de mon lit et j'ai écrit : « Couper les livres en deux et les envoyer » dans mon petit carnet noir. Une semaine plus tard, j'étais en train de me demander comme je pourrais faire en sorte que les entreprises s'intéressent davantage à mes livres et à mes conférences. Je ne voulais plus envoyer de livres à titre gracieux, car les réactions n'étaient pas des plus positives. J'ai commencé à regarder dans mon petit carnet noir et j'ai lu : « Couper les livres en deux et les envoyer ».

C'est exactement ce que j'ai fait. D'abord je suis allé chez mon imprimeur et lui ai demandé de couper les livres en deux. Ensuite, j'ai fait le brouillon de la lettre qui suit. Bien entendu, le tribunal de mon jugement a fait son apparition et a essayé de me convaincre qu'il s'agissait là d'une « idée stupide », que cela ne marcherait pas et que cela ne serait pas bon pour mon image. Pourtant, après avoir fait un peu d'analyse de gestion, j'ai décidé de ne pas être raisonnable et d'aller de l'avant. Il était certain qu'il y aurait des personnes qui me prendraient pour un fou ou pour un hurluberlu peu professionnel, mais je savais que beaucoup de gens se souviendraient de moi. De plus, cela piquait ma curiosité. Je me demandais quelle serait la réaction de ceux qui recevraient la moitié d'un livre, la moitié du haut ou la moitié du bas, dans une enveloppe. Je me sentais un peu stupide en mettant les moitiés de livres à la poste. Finalement, cette publicité « idiote » s'est avérée efficace.

Monsieur Richard Strass
Capital Credit Corporation
Toronto, Ontario, M4W 1E6

Cher Monsieur Strass,

Vous venez de recevoir la moitié de mon livre, *The Art of Seeing Double or Better in Business* (L'art de voir double ou comment être plus efficace en affaires). Pourquoi donc vous ai-je seulement envoyé la moitié d'un livre ? Je faisais face à deux problèmes : le premier est que j'avais en main des exemplaires défectueux auxquels je voulais trouver une autre utilisation que de remplir une poubelle. Le deuxième était que je voulais attirer votre attention.

J'ai donc décidé de me montrer créatif. En coupant les livres en deux, j'ai résolu les deux problèmes. Primo, j'ai trouvé une utilisation pour mes livres défectueux. Secundo, étant donné la quantité de publicités que vous recevez, la moitié d'un livre a dû attirer davantage votre attention qu'un quelconque matériel publicitaire.

Soit dit en passant, la créativité est à la base de *The Art of Seeing Double or Be Better in Business*, qui a été écrit pour aider les personnes et les entreprises à se montrer plus créatives. Beaucoup d'entreprises donnent des livres à leurs employés pour les aider à augmenter leur productivité. Les stations de radio, les coopératives d'économie, les commissions scolaires, les associations professionnelles et les universités ont acheté ce livre en grandes quantités.

On peut se le procurer lors de mes conférences ou en me le commandant (par lot de 10 exemplaires ou plus – 20 après le 1er juillet). Vous trouverez une liste de prix et un bulletin de commande à l'intérieur de l'enveloppe. Vous y trouverez également des renseignements sur mes conférences.

Salutations distinguées,

Ernie J. Zelinski

À la suite de cet envoi, j'ai reçu plusieurs commandes de dix livres, ce qui a mené à une vente de 200 livres et à plusieurs conférences pour le même client. Les revenus supplémentaires ont atteint entre 10 et 20 mille dollars. J'ai également bénéficié d'une excellente publicité dans des articles de journaux, ce qui a, de nouveau, entraîné des commandes pour d'autres conférences et d'autres livres. En fait, lorsque j'ai considéré tous les profits que cette idée folle avait générés, je me suis dit que cela valait le coup de couper en deux des livres sans défauts pour profiter d'une promotion aussi lucrative.

Il existe des raisons de se montrer déraisonnable

La société et notre système d'éducation nous enseignent à être raisonnables. Se montrer raisonnable et pratique est une excellente idée pour éviter de ne pas faire des choses stupides comme sauter du haut d'une falaise. Le problème, cependant, c'est que la société formule cette exigence de façon telle que cela nuit à notre créativité. Albert Einstein a déclaré : « Les grands esprits ont toujours rencontré de très fortes oppositions de la part des esprits médiocres. » Nous n'avons jamais très loin à aller pour trouver une personne qui nous dise que nous ne sommes pas raisonnables lorsque nous

Principe de créativité :

Ne soyez pas raisonnable

envisageons la possibilité de faire quelque chose de nouveau et de différent. Nous devons nous tenir sur nos gardes et rejeter ce qui est raisonnable. C'est lorsque nous suivons les plans des autres que nous faisons couler nos propres projets.

Nous devons apprendre à contester notre sens du raisonnable si nous voulons créer quelque chose qui apporte du nouveau en ce monde. Il faut se rappeler que le tribunal de notre juge-ment peut être l'ennemi numéro un de nos projets. Si nous tenons à ce que nos efforts créatifs soient menés à bien, nous devons constamment mettre au défi les raisons que nous nous donnons pour ne pas agir.

Personnellement, j'ai découvert que l'on peut se montrer déraisonnable tous les jours. Lorsque je fais face au tribunal de mon jugement ou à celui de quelqu'un d'autre, j'essaie d'aller à l'encontre de la raison dominante. Lorsque je me montre déraisonnable, je m'aperçois que des événements surprenants et gratifiants se produisent.

Une fois, j'ai décidé de me montrer déraisonnable et d'aller parler à un professeur qui m'avait donné des notes beaucoup plus basses que je pensais devoir mériter à un examen de mi-semestre. J'ai pensé que ma démarche était irraisonnée, puisque quatre autres étudiants étaient déjà allés le voir pour les mêmes raisons. Il s'était alors mis sur la défensive et avait totalement refusé de réviser leurs notes à la hausse. Le fait de

Un homme raisonnable n'accomplit jamais rien.

– Proverbe américain

m'être montré déraisonnable a été payant. J'ai eu droit à un peu d'égards de sa part, malgré le fait que les quatre autres étudiants avaient essayé la même chose sans y parvenir, peu de temps aupa-ravant. Cependant, j'ai manœuvré un peu diffé-remment. Je ne lui ai pas dit qu'il avait eu tort et qu'il avait été injuste dans sa façon de noter mon examen. Je lui ai plutôt dit : «Cela ne s'est pas très bien passé lors de mon dernier examen, ce qui signifie que ma note finale ne sera pas assez haute et que je n'obtiendrai pas la bourse d'assistant de 3 000 $. Que feriez-vous à ma place ?» Il a réagi en réduisant le pourcentage de cet examen et en augmentant celui de l'examen final. J'ai donc obtenu une excellente note, et ma bourse.

Soyez raisonnable et... que votre journée ne le soit pas !

La société et notre éducation nous ont programmés à être raisonnables. Le problème, c'est que nous le sommes devenus exagérément. Le tribunal de notre jugement a très rapidement étiqueté nos idées comme étant déraisonnables, alors qu'en fait certaines de celles-ci auraient pu être excellentes. Lorsque nous agissons de façon irrationnelle, en faisant certaines choses que d'autres ne feraient jamais, nous pouvons obtenir des résultats remarquables, comme les exemples suivants vous le prouveront.

En 1989, Jane Berzynsky, qui habitait le Tennessee, avait lu dans un journal que l'acteur Bob Cummings venait de divorcer pour la quatrième fois. Elle a décidé de se montrer déraisonnable et de lui écrire. Dans sa lettre, elle lui disait qu'elle était disponible, au cas où il verrait la possibilité d'une relation entre eux deux. Une photo d'elle accompagnait la lettre. Cummings, qui était du signe des Gémeaux, a vérifié avec son astrologue la compatibilité qui pouvait exister entre lui et Jane, une Verseau. Au point de vue astrologique, tout était parfait et il l'a donc fait venir par avion à Los Angeles. Jane Berzynsky est devenue la cinquième femme de Bob Cummings, parce qu'elle avait fait quelque chose que la plupart des gens auraient trouvé déraisonnable.

En avril 1995, Pierre Brassard, l'animateur radio de CKOI-FM, une station de radio de Montréal, a fait quelque chose de totalement insensé quand il a décidé d'appeler le Vatican pour parler au pape Jean-Paul II. Des ecclésiastiques parmi les plus hauts placés dans la hiérarchie lui avaient dit que ce n'était même pas la peine d'essayer. L'équipe de Brassard a finalement réussi à avoir le pape au téléphone en utilisant un petit stratagème (son équipe avait appelé cela « être créatifs ») : ils ont fait passer Brassard pour Jean Chrétien, le Premier ministre du Canada.

Une conversation téléphonique en français de dix-huit minutes s'ensuivit entre Brassard et le pape. Ils parlèrent de tout et de rien. À un moment, Brassard a demandé au pape quand il comptait installer une hélice sur le haut de sa calotte, mais le pape n'a pas semblé comprendre la question. Des reporters

Levons notre verre à la folie et aux rêves, parce que ce sont les seules choses raisonnables.

– Paul-Loup Sulitzer

de tous les médias en Amérique du Nord se sont montrés jaloux de ce que Brassard avait accompli. De nombreuses autres stations de radio avaient essayé en vain d'avoir une interview avec le pape. Les réalisateurs de TNN et de l'émission *Late Night with David Letterman* finirent par appeler CKOI-FM pour avoir une copie de l'entrevue entre Brassard et le pape.

Nous sommes tous victimes du tribunal de notre jugement, ce côté rationnel en nous qui peut jaillir à tout moment et détruire une idée avant même qu'elle n'ait la possibilité de s'épanouir. Beaucoup de nos meilleures idées n'ont aucune chance. Nous avons tendance à leur trouver un aspect négatif, et nous les rejetons. La réciproque est également vraie : nous pouvons tout aussi bien accepter une idée sans en examiner les côtés négatifs. Le tribunal de notre jugement classifie les choses comme étant soit noires, soit blanches, et 95 pour cent du temps, nous finissons par juger les gens et les événements, qu'ils soient bons ou mauvais, qu'ils aient tort ou pas.

Si vous décidiez de choisir un jour de la semaine, que vous en fassiez votre journée irrationnelle et que vous passiez cette journée-là à remettre en question le tribunal de votre jugement, vous remarqueriez que votre vie en serait totalement changée. J'ai choisi le jeudi comme étant ma journée de la déraison. Le jeudi, je remets en cause le tribunal de mon jugement. J'ai conclu qu'il était très raisonnable d'être déraisonnable, lorsque je vois le succès que j'ai obtenu en décrochant des entrevues avec des personnes avec lesquelles je ne pensais jamais en avoir et en rencontrant des personnes que je ne pensais jamais rencontrer. Voici quelques-unes des choses déraisonnables que vous devriez faire lors de votre journée déraisonnable.

Il n'existe aucune bonne âme qui ne soit teintée de folie.

– Aristote

- Si vous connaissez quelqu'un qui occupe l'emploi idéal et que vous vouliez lui parler, téléphonez-lui.

- Faites une surprise à quelqu'un en lui offrant un cadeau totalement différent ou en faisant une bonne action.

- Faites un compliment à la caissière du supermarché ou du grand magasin.

- Essayez d'aller contre la tendance générale en faisant ou en essayant de faire tout ce que vous avez à faire.

Pourquoi ne pas poser des questions stupides ?

L'écrivain français du XVIIᵉ siècle, Blaise Pascal, avait l'impression que la seule raison pour laquelle on fait quelque chose, c'est pour éviter de penser. Il se peut bien que les esprits des gens ne soient pas en mesure de penser. Pascal s'était aperçu qu'en évitant de penser les humains s'échappaient de leur condition humaine, caractérisée par l'inconsistance, l'ennui et l'anxiété.

Si vous posez une question stupide, vous obtiendrez une réponse intelligente.

– Aristote

De façon régulière, nous bricolons dans nos maisons, réparons nos voitures, maintenons nos bicyclettes en état. Quelques-uns d'entre nous vont même jusqu'à maintenir leur corps en forme, mais peu d'entre nous nous occupons de faire faire de l'exercice à notre esprit. Pourtant, à l'instar de notre corps, il peut être aussi bénéfique de garder notre esprit en forme. Beaucoup de personnes sont en excellente condition physique, mais leur esprit est négligé... La capacité de raisonner de façon critique et créative est une capacité que l'on ne développe que très rarement.

Jean-Paul Sartre a souligné l'absurdité de l'existence humaine, mais toutes les existences ne doivent pas forcément être absurdes. Une des raisons de cette absurdité vient du fait que les gens ne remettent jamais en question leur propre conduite en posant des questions idiotes – ou intelligentes. Nous ne nous arrêtons pas pour remettre en question les choses potentiellement stupides ou suspectes que nous faisons ou que nous pensons.

Lorsque nous étions enfants, nous avions l'habitude de poser beaucoup de questions stupides. Nous étions curieux et nous percevions une foule de merveilles dans ce monde. En tant qu'adultes, nous pouvons continuer de mettre au défi notre esprit, en examinant ce qui est nouveau et mystérieux et en posant des questions stupides qui sont parfois plus incisives que les questions intelligentes.

Je ne suis pas une machine à répondre aux questions. Je suis une machine à poser des questions. Si nous avons toutes les réponses, comment se fait-il que nous nous trouvions dans une telle pagaille?

– Douglas Cardinal

Si nous continuons à poser au moins une question stupide par jour, il y aura dans notre vie de quoi nous émerveiller jusqu'à la fin de nos jours. Nous ne connaissons pas tout ce qu'il y a à connaître (bien que beaucoup d'entre nous pensent le contraire). En fait, les esprits stupides ont des réponses pour tout, alors que les esprits intelligents posent régulièrement des questions stupides.

Une des meilleures façons de mettre en pratique notre manque de raison consiste à poser des questions au hasard commençant par : «Et que se passerait-il si...» Ces questions peuvent paraître absurdes et insensées. Néanmoins, ces «Et si...» peuvent nous apporter des réponses intéressantes.

En 1930, Sylvan N. Goldman, directeur d'un supermarché d'Oklahoma City, se rendait au travail lorsqu'il vit deux chaises pliantes qui se faisaient face sur une pelouse. Il songea immédiatement : «Et si je mettais ensemble ces deux chaises, que j'installais une planche de bois sur les sièges, des planches sur les côtés et des roues, ce panier géant sur roulettes pourrait devenir une alternative aux paniers de marché ordinaires, que les clients trouvent souvent trop lourds et encombrants pour se rendre jusqu'à la caisse.» Goldman avait posé une question importante – «Et si...» – et il mena son idée jusqu'au 4 juin 1937, date à laquelle le premier caddie de supermarché fit son apparition.

Les personnes à l'esprit créatif qui ont posé la question «Et si...» ont beaucoup d'inventions à leur actif, des choses que nous tenons pour acquises aujourd'hui. Le téléphone, l'automobile, les essuie-glaces, le velcro, les frites, le stylo à bille n'auraient pas été inventés, si leurs inventeurs respectifs ne s'étaient pas demandé «Et si...» Vous remarquerez que ces questions peuvent servir à résoudre toutes sortes de problèmes, y compris ceux qui relèvent de notre vie personnelle. En voici quelques exemples :

- Et si je mettais notre produit sur le marché en utilisant quelque chose qui n'a aucun rapport avec celui-ci?

- Et si nous invitions nos meilleurs clients à notre réception de Noël?

- Et si nous prenions une année sabbatique pour voyager?

- Et si je sortais de la maison cinq minutes plus tôt pour aller travailler?

Les avantages des questions «Et si...»

- D'abord, nous avons l'occasion d'explorer certaines possibilités que nous n'explorerions pas autrement.

- Ensuite, ces questions peuvent engendrer des idées tout à fait différentes de celles avec lesquelles nous sommes partis.

- Enfin, ce genre de question est très amusant.

Un esprit créatif est un esprit actif. Un esprit actif pose de nombreuses questions. C'est en posant de nombreuses questions que notre esprit continue à se développer et que nous trouverons de nouvelles façons de penser. Le fait de remettre en question nos valeurs, nos croyances et notre manière de faire les choses devrait être tout à fait normal. Le grand philosophe Socrate encourageait ses étudiants à tout remettre en question, y compris ce qu'il leur enseignait. Vous devriez utiliser votre esprit de façon active pour vous assurer qu'il ne rouille pas. Vous *devez* l'utiliser... sinon, vous le perdrez!

CHAPITRE 13

NE REMETTEZ PAS VOS TERGIVERSATIONS À PLUS TARD

Tergiversez et soyez plus créatifs

Un des meilleurs moyens mis à notre portée pour devenir plus créatifs est de ralentir et de prendre notre temps pour accomplir certaines tâches. En effet, en étant moins rapides, notre productivité peut se trouver améliorée. Les tergiversations peuvent s'avérer bénéfiques. En remettant certaines choses à plus tard, nous pouvons être plus efficaces. Ce chapitre traite donc de cette question.

Essayez de résoudre l'exercice suivant pour tester votre créativité.

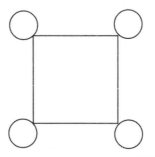

> Le gagnant sera, à coup sûr, celui qui aura attendu le plus longtemps.
>
> – *Helen Hunt Jackson*

Exercice 13.1 – Il y a «étangs» et «étangs»

Madame Colleen Waller, une riche femme d'affaires, possédait un étang à poissons ravissant, de forme carrée, dans sa propriété de Toronto. Aux quatre coins de ce plan d'eau se trouvaient quatre petits étangs ronds pleins de nénuphars (voir croquis). Cette dame voulait doubler la surface de l'étang qui contenait les poissons, afin de pouvoir doubler le nombre de ceux-ci. Cependant, elle ne voulait pas toucher aux quatre étangs aux nénuphars. Elle voulait, également, que l'étang à poissons demeure carré. Les étangs aux nénuphars devaient rester à l'extérieur du périmètre de l'étang à poissons.

Elle en parla à son jardinier qui lui affirma que c'était impossible à faire et que l'on devait changer de place les quatre étangs aux nénuphars. Combien d'étangs à nénuphars déplaceriez-vous?

Donnez-vous trente secondes pour trouver la solution.

Quelle solution avez-vous trouvée? Êtes-vous arrivé à la conclusion qu'il fallait au moins déménager un des étangs à nénuphars? D'une façon optimale, aucun des étangs à nénuphars n'a besoin d'être déménagé. Il existe une solution qui rend la chose possible. (Voir l'annexe, page 262.) Avez-vous résolu ce problème? Si non, comment cela se fait-il? C'est

Votre honneur, le jury demande le reste de l'été pour y penser...

sans doute que je ne vous ai pas laissé assez de temps. Si vous aviez eu plus de temps, cela vous aurait sûrement permis de «voir la lumière».

Nous prenons en général trop peu de temps pour tenter de résoudre un problème. En agissant ainsi, nous arrivons souvent à des solutions bâtardes, sur lesquelles on ne peut pas travailler ou qui s'avèrent totalement inefficaces. Nous devons nous discipliner à ne pas nous presser pour sortir d'une situation problématique, alors que nous pouvons nous octroyer un peu plus de temps pour trouver des idées supplémentaires. Il faut se laisser suffisamment de temps pour se permettre de trouver de nombreuses solutions aux problèmes. Cela nécessite un retard dans la prise de décisions.

Il peut être très important de retarder certaines actions pour pouvoir générer des solutions très créatives. Bien souvent, nous nous dépêchons pour résoudre les problèmes, alors que nous ferions mieux d'attendre. Beaucoup de problèmes et de situations problématiques ne sont pas aussi urgents qu'ils en ont l'air. Lorsqu'ils ne le sont pas, il est préférable de prendre son temps et de laisser son esprit s'attaquer tranquillement au problème. Notre esprit nous fera son rapport par la suite.

Exercice 13. 2 – Pouvez-vous vous souvenir de cette époque?

Imaginez que l'on vous ait confié la tâche de planifier une réunion d'anciens élèves, que vous avez connus de la première à la quatrième année. Combien de noms pouvez-vous trouver dans les cinq prochaines minutes?

Combien de camarades avez-vous trouvés dans ce laps de temps? De dix à vingt? Certains d'entre eux ont déménagé, et il y a eu les nouveaux qui sont arrivés en cours d'année scolaire… Vous avez certainement dû en oublier. Vous allez certainement trouver d'autres noms si on vous donne le reste de la journée pour y penser. Les noms vous viendront à l'esprit alors que vous serez en train de penser à autre chose. À la fin de la journée, vous aurez sans doute réussi à retrouver soixante pour cent des noms de vos camarades de classe.

Et demain, vous penserez à d'autres noms, si votre attention se trouve toujours captivée par cette tâche. Bien entendu, des noms vous viendront à l'esprit pendant que vous penserez à autre chose. En fin de compte, au bout de deux ou trois jours, vous aurez réussi à retrouver la plupart des noms de vos anciens camarades.

> Les idées sont comme le vin. On doit les mettre de côté et les reprendre après leur avoir donné suffisamment de temps pour fermenter et parvenir à maturité.
>
> – *Richard Strauss*

Lorsque vous donnerez à vos idées une période d'incubation, vous aurez le même résultat que celui obtenu lors de ce dernier exercice. Votre subconscient a la chance de pouvoir engendrer plus d'idées que si vous aviez essayé de trouver toutes les solutions possibles de manière consciente. Les idées spontanées générées dans un court laps de temps semblent être le résultat d'un processus de raisonnement structuré et rationnel. Le fait de pouvoir mettre son raisonnement sous incubation nous aide à surmonter les contraintes imposées par les prises de décision rapides.

Essayez de faire l'exercice suivant en vous octroyant deux minutes.

Exercice 13.3 – Pour venir à bout de la chaîne des demandes

Un riche homme d'affaires et son chauffeur se sont fait voler par un groupe de bandits de grands chemins, alors qu'ils étaient en route vers la ville. Leur limousine ainsi que tous leurs biens ont été dérobés. La seule chose de valeur que l'homme d'affaires possède encore est une chaîne en or composée de vingt-trois maillons. Ce voyageur est trop âgé pour parcourir de grandes distances à pied. Il se rend donc à l'hôtel le plus près et envoie son chauffeur chercher des fonds et une auto, ce qui prendra vingt-trois jours aller-retour. Le propriétaire de l'hôtel demande à l'homme d'affaires de lui donner un maillon de sa chaîne par jour en garantie. Ce dernier ne veut pas donner à l'hôtelier plus de maillons que de nuits passées à l'hôtel et il tient à récupérer sa chaîne avec un minimum de maillons coupés. Que doit-il faire pour donner un maillon par jour au propriétaire de l'hôtel tout en coupant le moins de maillons possible?

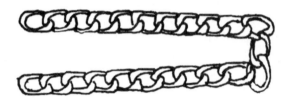

Si vous avez fait ce que font la majorité des personnes lors de cet exercice, vous avez trouvé que l'on devrait couper un maillon sur deux. Cela fera une quantité minimum de onze maillons coupés. En fait, il existe une meilleure solution. Si vous prenez votre temps et que vous abordez ce problème sous d'autres angles, vous découvrirez peut-être la solution optimale. Essayez. Nous y reviendrons plus tard.

Principe de créativité:

Retardez votre décision

Le processus de mise en incubation signifie qu'il faut mettre le problème de côté, en veilleuse. Cela nous permet de nous occuper de nos autres soucis pendant que celui-là mijote dans notre inconscient. Nous nous éloignons de tout engagement direct dans ce problème. De cette manière, nous mettons notre jugement en attente et nous nous permettons le luxe de laisser vagabonder la question au milieu de nos divers états d'esprit. Au bout d'un certain temps, nous verrons des solutions apparaître à des moments où nous nous y attendons le moins. Ces solutions jailliront de n'importe où dans notre esprit, et il sera important de les noter. Si nous ne les notons pas, nous risquons de les oublier.

En nous accordant davantage de temps, nous aurons une perception plus grande des perceptions. Grâce à d'autres stimulants, certaines associations d'idées génèrent des perspectives nouvelles que nous ne pouvons pas expérimenter lorsque nous nous pressons pour résoudre un problème. Nous évitons la rigidité qui se manifeste aux stades initiaux de notre recherche. Il en résulte des observations nouvelles et plus dégagées qui peuvent conduire à des idées intéressantes, et parfois même stupéfiantes.

Pour résoudre l'exercice 13.3, vous pouvez vous résigner à accepter que onze maillons soient coupés. Cependant, si vous décidez d'accorder un peu plus de temps à ce problème, vous obtiendrez sans aucun doute une meilleure solution. Si vous mettez ce problème en veilleuse, la solution jaillira demain ou un autre jour, venant de nulle part. Imaginez que vous êtes dans un magasin et que vous payez un article de 2 $ avec un billet de 5 $. Le caissier vous rend la monnaie avec trois pièces de 1 $. On peut faire un lien entre cette transaction et le problème de l'homme d'affaires et de sa chaîne en or. Où cela peut-il bien nous mener ?

Au point où nous en sommes, vous pouvez peut-être imaginer que le même type de transaction peut se produire entre l'homme d'affaires et le propriétaire de l'hôtel, une affaire qui se traite avec des maillons de chaîne en or, et non avec des dollars. (Indices : un jour en particulier, l'homme d'affaires peut-il traiter en utilisant seulement un maillon ? Peut-il, par exemple, en donner trois et en récupérer deux ? Où ce raisonnement peut-il nous conduire ? Jouez maintenant avec le problème pour découvrir une meilleure solution. La solution optimale est que l'on aura besoin de ne couper que deux maillons. Essayez de deviner lesquels.)

> *La patience est l'art de cacher votre impatience.*
> *– Un sage anonyme*

Pour résoudre la plupart des problèmes, de nombreuses associations d'idées peuvent être faites, pendant la période d'incubation, avec des choses qui n'ont aucun rapport. Cela peut nous guider vers plusieurs bonnes réponses. Un nouveau problème peut également se profiler. Celui-ci peut bien être de choisir la meilleure réponse entre toutes celles – excellentes d'ailleurs – que nous avons trouvées. Voilà tout un défi à relever.

> *La tergiversation vaincra un jour. D'accord avec ça !*
> *(Graffiti)*

Trouvons des solutions encore plus stupéfiantes en ralentissant le pas

Si vous avez un problème à résoudre, le fait de vous discipliner pour ne pas vous précipiter toutes affaires cessantes sera le premier pas vers des solutions étonnantes. Pour cela, vous devrez vous convaincre que le monde ne s'arrêtera pas de tourner si vous ne prenez pas de décision sur-le-champ. Quelques problèmes sont urgents; d'autres ne le sont pas. Après avoir décidé de vous octroyer le luxe de vous accorder plus de temps, vous serez sur la voie pour trouver une meilleure solution. Nous avons vu comment le fait de prendre notre temps a pu nous conduire à une meilleure solution pour l'exercice 13.3. (Voir l'annexe, page 263, pour la solution exacte.)

Une histoire doit mijoter dans son propre jus pendant des mois ou même des années avant d'être prête à être servie.

– Edna Ferber

On peut chercher des solutions à un problème de façon plus consciente en se le répétant pendant plusieurs jours. Il existe plusieurs façons de garder un problème présent à l'esprit. Voici quelques manières pour vous occuper d'un problème de façon consciente, en attendant que votre subconscient se mette au travail pour trouver la solution miracle.

- Écrivez votre problème sur différents morceaux de papier. Placez ces notes dans différents endroits sur lesquels votre regard tombera de temps à autre. Mettez-en un dans votre serviette, un sur l'armoire à pharmacie, un sur le tableau de bord de votre voiture, un autre sur votre bureau, et ainsi de suite. De cette façon, votre problème vous reviendra à tout moment.

- Souvenez-vous de votre problème pendant que vous pratiquez une activité physique, que vous marchez, que vous vous entraînez, que vous faites le ménage ou du jardinage. Énoncez votre problème à voix basse pendant que vous vous rasez ou que vous vous maquillez.

- Formulez votre problème pendant que vous méditez en privé, que vous rêvez éveillé dans votre bureau ou que vous vous reposez sur votre canapé.

- Formulez votre problème dès votre réveil, dès votre lever. Formulez-le une seconde fois, puis oubliez-le pendant quelque temps.

Il est important que vous remarquiez que l'on ne vous demande pas de vous faire du souci jour et nuit à propos de votre problème. Vous devez y penser de façon consciente à différents moments, tout en ayant une totale confiance qu'une solution finira par apparaître.

Après avoir pensé consciemment à votre problème pendant quelques jours, une réponse stupéfiante risque d'émerger. Si tel est les cas, la mission est terminée. Si ce n'est pas le cas, arrêtez de penser à votre problème de façon consciente. Donnez-lui la chance de mijoter dans votre subconscient pendant un certain temps. Une réponse viendra, apparemment de nulle part. Indubitablement, une réponse finira par se manifester et elle aura un effet surprenant. Eurêka! Vous saurez intuitivement que c'est celle que vous attendiez.

CHAPITRE 14

SOYEZ PERSÉVÉRANT ET VOUS DEVIENDREZ UN GÉNIE

Le génie n'est rien d'autre que de la persévérance déguisée

Tout au long de ce livre, j'ai insisté sur certains principes de créativité et sur d'autres bribes d'informations pour vous permettre d'atteindre une certaine satisfaction dans la vie. Le seul principe de créativité dont nous n'avons pas encore parlé en détail est tout aussi important que tous les principes et toutes les informations dont nous avons déjà discuté. Les deux exemples qui suivent mettent l'emphase sur un dernier principe de créativité : « Soyez persévérant ».

Reconnaissez-vous certains de ces noms ? Captain Betts, Willie Delight, Jed Jackson, Buddy Links, Jimmy Malone et Willy Williams. Ces noms sont tous des pseudonymes de scène que George Burns a utilisés au début de sa carrière de comédien de vaudeville. Burns a admis qu'il jouait tellement mal qu'il devait souvent changer de nom pour pouvoir décrocher de nouveaux contrats. Sa persévérance a fini par l'emporter : Burns a fini par développer une manière de jouer la comédie que tout le monde aimait, et il est devenu une star.

> Si vous ne réussissez pas du premier coup... vous êtes dans la bonne moyenne !
>
> – Un sage inconnu

On raconte que Thomas Edison a fait plusieurs centaines d'expériences avant de réussir à produire sa première ampoule électrique. Il en était environ à sa cinq centième tentative lorsque son assistant lui a demandé : « Pourquoi persévérez-vous dans cette folie ? Cela fait cinq cents fois que vous essayez et cela fait cinq cents fois que vous essuyez un échec. » Edison a alors répondu très rapidement : « Oh ! Mais je n'ai essuyé aucun échec. Maintenant, je connais 500 manières à ne surtout pas suivre pour fabriquer une ampoule électrique. » Il est sûr que la persévérance d'Edison a fini par l'emporter.

Principe de créativité :

Soyez persévérant

Le pouvoir de la persévérance est absolument remarquable, je vous le garantis. À l'heure actuelle, mes livres se vendent en librairie par dizaine de milliers au Canada et aux États-Unis. J'accepte de donner quelques conférences qui me rapportent 2 000 $ la demi-heure, toutes dépenses payées. Il m'arrive de refuser des conférences très lucratives, parce que mes loisirs sont plus importants pour moi. Cependant, il y a quelques années, j'aurais été heureux de vous faire partager gratuitement les informations contenues dans mes livres. En fait, je vous aurais même invité à dîner dans un bon restaurant, simplement pour savoir que j'avais quelqu'un qui m'écoutait et sur qui je pouvais tester mes théories.

Je me souviens qu'il y a quelques années j'étais assis au restaurant avec un groupe d'amis et que nous discutions de ce qui est nécessaire pour réussir dans la vie. Lorsque j'ai parlé de ma philosophie de la créativité et de ce qui constituait la sécurité dans la vie, tout le monde m'a dit que j'étais soit bizarre, soit fou. Lorsque je faisais ma maîtrise en administration à l'Université de l'Alberta, j'ai mis au défi les autorités universitaires de changer certains cours que je trouvais dépassés et de les remplacer par des cours sur la créativité. La plupart des étudiants et des professeurs en administration ont pensé que si je n'étais pas totalement fou, j'étais certainement sur une autre planète qu'eux.

Malgré toutes les critiques que j'ai essuyées au cours des dernières années, j'ai réussi à conserver ma façon de penser. J'ai pu suivre ma propre philosophie et la faire travailler à mon avantage. Une des raisons de mon amour de la vie à l'heure actuelle vient du fait que je trouve du plaisir dans ce que je fais pour vivre. Étant donné que je n'ai pas besoin de travailler plus de quatre ou cinq heures par jour, il y a un grand équilibre entre mon travail et mes loisirs. En fait, la majeure partie de mon travail est un loisir, car j'aime énormément ce que je fais. Je n'accepterais même pas un salaire d'un million de dollars pour travailler pour quelqu'un d'autre, peu importe le travail ou le titre du poste, tout simplement parce que j'aime ma liberté.

Comment suis-je arrivé où je suis aujourd'hui ? J'y suis arrivé parce que j'ai été persévérant. Alors que les étudiants qui avaient terminé leur maîtrise en administration en même temps que moi gagnaient déjà 75 000 $ par an, je n'en gagnais que 15 000. J'ai persévéré même lorsque je vivais sous le seuil de la pauvreté et que je ne savais comment j'allais payer mon loyer du mois suivant. Je sentais que si je persévérais dans ce que j'aimais faire, je finirais par pouvoir en vivre.

À l'heure actuelle, certaines des personnes qui pensaient que mon état mental n'était pas très élevé acceptent de me rémunérer pour recevoir mes conseils. Certains de mes collègues d'université pensent que je suis un génie parce que j'ai réussi à faire d'un livre publié à compte d'auteur un succès de librairie. Je ne suis pas un génie en marketing (ou en quoi que ce soit d'autre), seulement quelqu'un qui a des connaissances en commercialisation et un certain bon sens. Ce qui m'a aidé à atteindre certains de mes buts importants, c'est ma volonté de suivre les seize autres principes de la créativité.

Vous pouvez obtenir le même résultat dans votre vie. Continuez à poursuivre vos projets et vos efforts et vous finirez peut-être par passer pour un génie (ou une star) aux yeux des gens qui ne se montrent pas aussi persévérants que vous. Vous saurez que le génie alors n'est rien d'autre que la persistance et la persévérance déguisées.

> *La persévérance est ce qui rend l'impossible possible, le possible probable et le probable certain.*
>
> *– Robert Half*

Ne soyez pas victime d'un raisonnement incorrect

Je n'arrive pas à comprendre pourquoi tant de gens blâment la terre entière pour ce qui se passe dans leur vie, au lieu d'en prendre la responsabilité. Un article de tête du *Globe and Mail* a relaté que la décennie des années 1990 est celle des victimes. Étant donné qu'il est devenu à la mode, dans certains milieux, d'être une victime, il me faut vous mettre en garde contre les conséquences que vous subirez si vous vous laissez piéger par l'idée, absolument nulle et stérile, de vous ériger en victime.

Beaucoup de personnes se voient, à tort, comme des victimes. À cause de leur situation, ces gens voient la vie comme étant une escroquerie. Ils font porter le blâme de leur malheur et de leur solitude à la société, à leurs parents et à la situation économique de leur pays. Une chose qui m'impressionne beaucoup lorsque je pense à ces personnes à la mentalité de victime est l'énergie qu'elles investissent pour fuir leurs responsabilités et se compliquer la vie.

Les victimes sont souvent des personnes menées par des motivations négatives. Affectées par leur propre insécurité et leurs échecs passés, elles ne font que suivre le mouvement, ne font que se plaindre, commencent certaines choses qu'elles ne finissent jamais, font et refont les mêmes erreurs, et rien de ce qui les entoure ne semble fonctionner. La chose la plus triste à leur sujet est qu'elles ne semblent pas avoir conscience de leur négativisme.

Le cheval perdant fait porter le blâme à sa selle.
– Samuel Lover

J'ai été surpris, il y a environ dix ans, de voir un homme de cinquante-cinq ans qui blâmait encore ses parents pour tous les ennuis auxquels il avait dû faire face au cours de son existence, y compris tous les échecs de ses relations avec les autres. J'ai trouvé que c'était un peu étrange, pour un particulier de cet âge-là dont les parents étaient morts depuis longtemps et qui avait lui-même des enfants. J'ai été encore plus surpris de constater que, depuis ce temps, il est devenu acceptable d'accabler ses parents. Dans les années 1990, c'est même devenu un passe-temps à la mode pour beaucoup d'adultes, comme on a pu le voir dans les reportages présentés à la télévision et dans les magazines de psychologie. Ces adultes, qui accablent leurs parents de reproches, se qualifient comme étant des «adultes enfants» (un terme vraiment curieux).

Prenez votre vie en mains et que se produit-il? Quelque chose d'affreux: vous n'aurez personne sur qui rejeter le blâme pour ce qui vous arrive.
– Erica Jong

Ces adultes enfants ont la réputation de blâmer leurs parents pour tous les embêtements qu'ils vivent à l'âge adulte, tels que l'alcoolisme, la dépendance aux drogues, les divorces et les difficultés relationnelles. Ils ont du mal à assumer la responsabilité de leurs actions. Ils souffrent d'une mentalité de victime, essaient de se dégager de toute responsabilité et, en général, de tout ce qui pourrait être désagréable dans leur vie.

Laissez-moi vous raconter ce qui s'est produit lors d'une des conférences à laquelle je participais, il y a bien des années. Un des 257 participants est entré en confrontation avec le conférencier, soulignant que beaucoup de ses problèmes personnels avaient été causés par ses parents, qui avaient été loin d'être parfaits. Le conférencier a voulu mettre l'emphase sur la fausseté du raisonnement de ce participant qui croyait avoir été désavantagé à cause de ses parents et il a demandé aux autres participants de lever la main s'ils pensaient qu'ils avaient eu des parents excellents ou frisant la perfection. Personne ne leva la main, à la grande stupéfaction du contestataire. Le conférencier a alors fait remarquer que les 257 participants provenaient de milieux très différents, et que pas un seul d'entre eux n'avait eu de parents qui s'approchaient, ne serait-ce que de loin, de la perfection.

Michele Wiener-Davis, une thérapeute très réputée, a fait preuve d'une très grande intégrité dans son excellent livre, intitulé *Fire your Shrink* (Congédiez votre « réducteur de têtes » – votre psychiatre), dans lequel elle parle des dangers que courent les personnes atteintes d'une mentalité de victime et de la raison pour laquelle les thérapies ne fonctionnent généralement pas, lorsque les personnes vont chez leur « psy ». Beaucoup de gens atteints de cette forme de misérabilisme passent des heures à se concentrer sur leurs problèmes en compagnie de thérapeutes qu'ils rémunèrent fort bien. Michelle Wiener-Davis a découvert que ces clients passent des mois et même des années à rejeter le blâme sur d'autres, et ne prennent jamais la responsabilité de résoudre eux-mêmes leurs problèmes. Il est certain que les thérapeutes sont les premiers à bénéficier grassement des problèmes de ces grands angoissés, qui continuent à défiler dans leur cabinet avec un portefeuille bien garni.

> *La vie est courte, mais elle est suffisamment longue pour empoisonner la vie de celui qui tient à ce qu'elle soit empoisonnée.*
>
> – Josh Billings

Il existe beaucoup de façons de penser qui témoignent d'un manque d'estime de soi. Si vous entretenez l'une des croyances ou des pensées énumérées ci-dessous, vous vous soumettez à des motivations négatives qui ne contribuent certainement pas à votre réussite.

- J'ai des problèmes exceptionnels dans la vie. Personne d'autre ne peut avoir de problèmes aussi énormes.

- Vous ne pouvez pas me dire quelque chose que je ne sache déjà.

    - Je ne me sens pas bien lorsque quelqu'un ne m'aime pas.

    - Le monde devrait être juste, spécialement envers moi.

    - Je ne devrais pas avoir à supporter le désagrément de l'échec.

    - Les gens sont tellement différents de ce qu'ils devraient être.

    - Je ne peux changer : je suis né ainsi.

- Mes parents, qui sont loin d'avoir été parfaits, sont à blâmer pour ce que je suis.

- Les gouvernements ne font pas suffisamment de choses pour les gens ordinaires comme moi.

- Les gouvernements devraient faire plus pour protéger nos emplois dans les domaines de la santé, de l'éducation, etc.

- Je suis désavantagé(e) parce que je suis une femme, que je fais partie d'une minorité, que je suis un Blanc, etc.

- Je suis désavantagé parce que je n'ai pas assez d'argent, que je ne suis pas beau (ou belle) et que je ne connais pas les bonnes personnes.

- Pourquoi n'est-on pas aussi gentil avec moi que je le suis avec les autres ?

- Je n'ai pas assez d'instruction pour faire quoi que ce soit d'intéressant.

- J'ai du mal à m'affirmer.

Si jamais vous avez régulièrement une de ces pensées, vous vous exposez à beaucoup de chagrin et de douleur. Vous vous trouvez des excuses, de façon consciente ou inconsciente, pour ne pas entreprendre les démarches nécessaires pour avancer dans la vie. Vous êtes également victime d'un mauvais raisonnement. D'où vient-il ? De vous. De qui d'autre pourrait-il venir ?

Michele Wiener-Davis parle dans son livre des personnes qui ont souffert de cette mentalité de victime et qui, à l'heure actuelle, sont des battantes parce qu'elles ont pris leur vie en mains. Elle déclare : « Les personnes qui vivent leurs rêves sont des personnes qui ont arrêté de regarder une situation sous tous ses angles, de peser le pour et le contre. Elles agissent... Elles ont fini par réaliser qu'il était temps d'arrêter de parler de leurs problèmes à leurs amis, à leur famille ou à leur thérapeute... et qu'elles devaient commencer à vivre. S'il n'y a pas d'action, il n'y a pas de changements. »

> *Si votre vie quotidienne vous semble pauvre, ne la blâmez pas. Blâmez-vous vous-même. Dites-vous que vous n'êtes pas suffisamment poète pour en exploiter les richesses.*
> *– Rainer Maria Rilke*

Croire est une maladie

Ce n'est pas parce que la majorité des gens croient en quelque chose que cette croyance est forcément vraie. Ce que la société considère comme étant raisonnable peut très bien ne pas l'être. Il existe toutes sortes de croyances qui se sont révélées fausses. Rappelez-vous qu'à un moment donné tout le monde croyait que la terre était plate. Bertrand Russell a développé ce point, et cela nous donne matière à réflexion.

Le fait qu'une opinion ait été largement acceptée ne prouve pas qu'elle ne soit pas totalement absurde. En vérité, si l'on tient compte de la sottise dont fait preuve la majorité de l'humanité, une croyance acceptée de tous a de bonnes chances d'être plus ridicule que sensée.

Nous pouvons adopter des tas de fausses croyances, parce que nous ne remettons pas assez en question ce qui nous est présenté. Il est très facile de tomber dans le piège des fausses croyances, qui sont très courantes dans notre société. Croyez-vous que le fait de lire sous un mauvais éclairage ou dans la presque obscurité puisse abîmer vos yeux ? Eh bien, rien n'a jamais soutenu cette idée. La Société américaine des ophtalmologistes déclare : « Le fait de lire alors que la lumière est mauvaise ne peut pas plus abîmer nos yeux que le fait de faire une photographie avec un mauvais éclairage n'endommagera la lentille de votre appareil. »

Croyez-vous qu'il soit dangereux d'aller nager juste après avoir mangé ? Là encore, il n'existe aucune preuve pour appuyer cette croyance. Bien que la Croix Rouge ait publié, il y a cinquante

> *J'ai toujours été ahuri de constater les choses incroyables que les individus pensent.*
> *– Leo Rosten*

ans, une brochure qui faisait part du danger d'aller nager immédiatement après avoir mangé, celle que cet organisme humanitaire a publiée récemment dit clairement que ce n'est pas le cas.

Il existe une chose encore pire que d'entretenir une fausse croyance par-ci par-là: C'est de baser son existence sur ce que la réalité devrait être, et non sur ce qu'elle est. L'écrivain Robert De Ropp a déclaré que les êtres humains vivaient dans un monde d'illusions, ce qui bloque la réalité au point qu'ils vivent une sorte de rêve éveillé. La peur de la vérité peut ne jamais disparaître chez certaines personnes qui iront jusqu'aux toutes dernières limites pour éviter de la voir et pour la remplacer par des rêves fous qui feraient délirer le cerveau de toute personne saine.

La plupart d'entre nous ont tendance à structurer nos raisonnements de façon à ce qu'ils nous empêchent d'envisager toutes les solutions qui s'offrent aux problèmes, ce qui a un grand impact sur nos capacités créatrices. Être créatif signifie vivre avec passion et spontanéité. Il est important de se fier à son intuition; tout comme il est important de faire taire ses idées préconçues et ses inhibitions.

Un raisonnement souple vous aidera à vivre beaucoup plus facilement. Ne restez pas bloqués avec vos croyances. C'est une maladie que de croire, par exemple, que la vie s'améliorera à la suite d'un gain important à la loterie. Votre raisonnement pourra souffrir au détriment de votre santé mentale, si vous ne vous arrêtez pas pour remettre en question toutes les croyances que vous avez à propos de l'existence. Un raisonnement trop structuré limitera votre capacité de voir les choses sous un éclairage différent. Souvenez-vous de cela: votre esprit est comme un parachute; vous serez en meilleure position s'il est ouvert.

> *Tout ce qui nous trompe peut nous enchanter.*
> *– Platon*

La libération est un état d'esprit

Pour gagner dans la vie, il faut de l'action et le désir de réaliser un exploit. La capacité de réussir n'est pas innée. Les gens peuvent mener des vies enrichissantes s'ils assument la responsabilité de leurs actions et qu'ils arrêtent de se poser en victimes. Les gens créatifs cherchent des occasions, en prennent avantage et finissent au paradis, au lieu de se justifier comme étant des victimes et de finir en prison.

> *Liberté signifie responsabilité. C'est ce qui fait peur à la majorité des hommes.*
>
> *– George Bernard Shaw*

Les personnes négatives aspirent au bien-être et veulent éviter les échecs, ce qui résulte habituellement en une faible motivation ou une inaction totale. Bien que la peur puisse avoir un effet positif, elle nous pousse la plupart du temps à réagir de façon négative, ce qui ne nous aidera que peu ou pas à atteindre la satisfaction. La peur, en général, nous pousse à réagir de façon négative plutôt que positive.

Il existe d'autres formes de pensées malsaines tel le syndrome du coup fumeux ou de la bonne affaire, qui agit comme une motivation négative. Le syndrome du coup fumeux est l'un des fantasmes que nous avions tous dans notre adolescence et qui a survécu. Malheureusement, je connais beaucoup de personnes qui continuent d'entretenir ces fantasmes d'adolescent, alors qu'elles ont dépassé cinquante et soixante ans. Ces fantasmes d'adolescents sont privilégiés par les adultes qui ont une piètre estime d'eux-mêmes.

> *Le succès ne vient pas à vous…. C'est à vous d'aller vers lui.*
>
> *– Marve Collins*

Il existe quelques variations au syndrome du coup fumeux. Par exemple : «Si je pouvais gagner cinq millions de dollars, je serais heureux.» «Si je pouvais développer une nouvelle relation avec quelqu'un de fascinant, je ne m'ennuierais pas tant.» «Si je pouvais avoir un emploi passionnant qui rapporte bien, je pourrais commencer à vivre.» Les personnes affligées du syndrome du coup fumeux recherchent une façon facile de trouver le bonheur, alors qu'il n'en existe pas. Lorsqu'on attend l'affaire du siècle, le gigantesque coup de pot, on évite de faire l'effort nécessaire pour avancer dans la vie.

Ces excuses sont valables lorsqu'on est lourdement handicapé ou qu'on vit dans un pays du Tiers-Monde où les chances de réussir sont pratiquement nulles. Les États-Unis et le Canada offrent encore de multiples possibilités pour les gens qui savent en profiter. En 1997, et pour la quatrième fois consécutive, les Nations Unies ont choisi le Canada comme étant le meilleur pays où

> *Toute excuse est bonne, lorsque vous ne voulez pas faire quelque chose.*
>
> *(Dicton yiddish)*

vivre au monde au chapitre de l'indice de développement humain[12]; les États-Unis ont obtenu la quatrième place pour l'ensemble des conditions de vie, en 1997. Cette évaluation a été faite en se basant sur le revenu moyen, l'espérance de vie et le niveau d'instruction de la population.

Malgré le fait que le Canada ait été choisi comme étant l'un des meilleurs endroits au monde où vivre, j'ai remarqué que beaucoup de personnes ne voient pas les possibilités qui s'offrent à elles. Beaucoup de Canadiens passent une grande partie de leur temps à se plaindre des mauvaises choses qui leur arrivent et de leur vie difficile. Le pire, c'est que la plupart des personnes évoquées ici ne sont pas vraiment désavantagées. Je parle de personnes en bonne santé, instruites, capables, qui reçoivent ou ont reçu de bons salaires, des personnes qui sont gâtées et qui souffrent du vieux syndrome selon lequel tout leur est dû.

Je fais référence à ce qu'a dit Douglas Cardinal, un des architectes canadiens les plus connus. Ce dernier, qui est de descendance amérindienne, croit que nous avons tous quelque chose à apprendre de sa philosophie:

> Nous n'avons pas de problème financier, mais un problème d'attitude. À force de nous prendre en pitié, nous faisons du bruit autour de nous, parce que notre économie est à la baisse. Quelle stupidité! Oui, nous souffrons d'un problème d'attitude. Cette déprime ne me touche pas, parce que je refuse d'y adhérer... Nous avons le pouvoir de créer ce que nous voulons. Seule notre attitude nous met dans la situation où nous nous trouvons. Les personnes qui ont perdu leur emploi peuvent envisager ces situations difficiles comme étant des revers ou des défis.

Lorsque l'on est atteint d'une mentalité de victime, il faut être prévenu de l'un de ses plus dangereux effets: vous ne serez jamais libre si c'est ainsi que vous jouez votre vie. Comment pourriez-vous l'être? Vous allez toujours vous réfugier derrière

---

12. Ces résultats – qui réjouissaient les personnages politiques – ont légèrement régressé au cours des dernières années. Toutefois, globalement, le Canada demeure parmi les chefs de file des nations occidentales, ne serait-ce que pour l'esprit d'entrepreneuriat qui y règne, son respect des droits de la personne et pour sa capacité d'adaptation aux situations de crise. (N.d.T.)

votre personnalité de victime pour satisfaire votre système de croyances pervers.

La libération est un état d'esprit. Si vous êtes une personne vraiment libérée, vous savez qu'il existe bel et bien toutes sortes de discriminations et de barrières, mais vous continuez à foncer. La libération exige des efforts et de la persévérance de la part de nul autre que vous.

> *Ils ne mettent que cinq cents dans le juke-box, et ils veulent une chanson à un dollar!*
>
> *(Chanson populaire américaine)*

Savoir et ne pas agir revient à ne pas encore savoir

Beaucoup de personnes démotivées souffrent du mirage de l'existence d'un paradis terrestre situé entre le nirvana et Shangri-La. Elles croient pouvoir y parvenir sans faire d'efforts. Tout ce que cela prendra pour l'obtenir est de réussir un coup fumeux comme gagner à la loterie, ou trouver l'emploi ou le conjoint idéal. Ce syndrome du coup de chance a pour origine de fausses croyances sur la façon dont le monde devrait être, plutôt que sur ce qu'il est vraiment. Les personnes qui souffrent du syndrome du coup fumeux mènent une vie fondée à moitié sur la vérité, à moitié sur la fiction. La fiction se substitue à ce qui devrait être. Mener une vie fondée sur que le monde devrait être – plutôt que sur ce qu'il *est* – peut être très destructif. Pareil comportement entraîne généralement des conséquences très graves.

> *N'allez pas raconter partout que le monde doit vous faire vivre. Le monde ne vous doit rien: il était là avant vous.*
>
> *– Mark Twain*

Je suis persuadé que vous ne tomberez pas dans le même piège que tous les gens dénués de motivation. Ils souffrent leur vie durant du syndrome selon lequel le monde leur doit tout et de celui de la manne tombée du ciel. Comme ils ne prennent pas en main la responsabilité de leur bien-être, ils ne font que chercher les manières faciles de s'en sortir. C'est la raison pour laquelle il y a autant de Nord-Américains alcooliques ou dépendants des drogues ou du jeu. Beaucoup d'entre nous ont été tentés de succomber au syndrome de la manne tombée du ciel à un moment donné de nos vies. Il y a longtemps, je m'imaginais en train de recevoir une manne venue de nulle part; maintenant, cela ne m'arrive

> *Pour chaque personne qui rêve de gagner 50 000 £ en travaillant, il y en a cent qui rêvent de se faire donner 50 000 £.*
>
> *– A.A. Milne*

pas souvent, voire jamais. Et puis, j'ai découvert que je n'avais pas besoin de la manne céleste pour trouver satisfaction et bonheur dans la vie. Je peux y parvenir en utilisant le seul pouvoir de ma créativité et en suivant le principe du paradoxe de la vie facile.

Ce n'est pas parce que vous aurez appris les principes de la créativité que vous serez obligatoirement assuré d'avoir plus de satisfaction ou de bonheur dans votre vie. Ce n'est parce que l'on est le propriétaire d'un cheval que l'on sait nécessairement le monter et l'apprécier. Vous devez vous motiver vous-même pour pouvoir faire ce qui est nécessaire et être satisfait et heureux dans tout ce que vous faites et qui en vaut la peine. Vous devez également oublier toutes les mauvaises excuses.

Exercice 14.1 – Une excuse commune qui n'en est pas une

Qu'avaient en commun toutes ces personnes ?

- L'inventeur Thomas Edison ;
- L'actrice Sophia Loren ;
- L'acteur Al Pacino ;
- L'ancien champion mondial aux échecs Bobby Fisher ;
- Le présentateur des nouvelles à la chaîne de télévision ABC Peter Jennings ;
- Le fondateur de la Honda Motor Corp. Shoichiro Honda ;
- L'inventeur du dôme géodésique Buckminster Fuller.

Beaucoup de personnes utilisent leur manque d'instruction pour s'excuser de ne pas poursuivre une carrière plus créative et plus satisfaisante. Eh bien, devinez quoi ? Toutes les personnes que je viens de citer ont quitté l'école soit à l'élémentaire, soit au secondaire. Thomas Edison n'avait que trois semaines d'éducation traditionnelle. Il avait un autre handicap dont il a souffert pendant toute sa vie, la surdité.

Le succès réside dans l'adage bien connu: du talent, un peu de veine et du courage.

– Charles Luckman

Cela l'a-t-il arrêté ? Non ! Ses inventions ont changé le cours de nos vies de façon spectaculaire.

Alors, oublions les excuses. Le fait qu'une chose soit difficile à faire ne justifie pas que nous ne la fassions pas. C'est une chose de reconnaître les problèmes et d'envisager des solutions – la majorité d'entre nous arrive à faire cela –, mais c'en est une autre de faire ce qu'il y a à faire. L'inaction dévalorise totalement la reconnaissance du problème et sa solution. Il y a un vieux proverbe qui dit : « Les beaux discours ne coûtent pas cher parce que les réserves dépassent la demande. » De nombreuses personnes parlent de toutes les choses merveilleuses qu'elles vont accomplir dans leur vie. Peu d'entre elles accomplissent ne serait-ce qu'une infime minorité de ces choses. Parler d'aller marcher est une affaire ; marcher pendant que l'on parle en est une autre.

> Jamais, jamais, jamais, jamais. N'abandonnez jamais !
> – *Winston Churchill*

La grande différence entre les grands performants et les petits réside dans le fait que les premiers pensent de façon active, et non passive. Les études qui ont été faites sur eux montrent que ces personnes peuvent consacrer beaucoup de temps à la réflexion tout simplement pour réfléchir sur les choses. Ce qu'elles accomplissent n'est pas basé sur le seul fait d'être actif physiquement, mais aussi sur leurs capacités à méditer, réfléchir et rêvasser.

Les performants pensent à agir et à en retirer un sentiment de travail bien fait. Ils font ce qu'ils avaient planifié ; c'est cela qui fait toute la différence dans leur vie. Ils savent qu'en changeant les choses, que ce soit sur le plan des loisirs ou des affaires, ils allument leur propre feu plutôt que d'attendre d'être réchauffés par le feu de quelqu'un d'autre.

> N'attendez pas que le bateau rentre au port. Nagez vers lui.
> – *Un sage anonyme*

Marcher pendant que l'on parle est une affaire d'engagement. Bien des gens utilisent le mot *engagement* sans savoir véritablement ce qu'il signifie. Ils utilisent ce mot parce que cela paraît bien, mais cela ne veut pas dire qu'ils participent véritablement à quoi que ce soit. La grande majorité des gens disent qu'ils s'engagent à être heureux et à réussir leur vie. Leurs actions prouvent le contraire. Lorsqu'ils s'aperçoivent que pour atteindre leurs objectifs, il leur faut du temps, qu'ils doivent dépenser de l'énergie et se sacrifier, ils laissent tout tomber.

Voici un test tout simple pour savoir jusqu'à quel point vous vous êtes engagé à atteindre vos objectifs et à faire avancer votre vie. Faites-vous les choses que vous dites que vous allez faire ? Cela peut s'appliquer à de toutes petites choses comme téléphoner à une personne que vous vous étiez engagé à appeler. Si vous ne faites pas les petites choses que vous vous étiez promis de faire, j'ai du mal à croire que vous respecterez vos engagements à des fins plus sérieuses. Et vous n'atteindrez pas grande satisfaction dans votre vie si vous manquez à vos engagements.

Vos actions sont les seules choses qui témoigneront de votre engagement. Si vous vous montrez sérieux, cela signifie que vous avez un vif désir d'atteindre vos objectifs, quels qu'ils soient, peu importent les obstacles ou les barrières qui pourraient se dresser devant vous. «Ce que vous semez, vous le récolterez.» En d'autres termes, tous les efforts que vous dirigez vers l'univers vous seront rendus. Il faut de l'action – *beaucoup* d'action – pour obtenir un sentiment d'accomplissement et de satisfaction dans la vie. Ne soyez pas comme ceux qui ne font rien. Une attitude positive et de l'enthousiasme face à la vie sont les ingrédients indispensables pour vous engager dans l'action et dans une vie qui fonctionne bien. Rappelez-vous toujours de ces paroles de sagesse du Bouddha sur l'engagement: «Savoir et ne pas agir revient à ne pas encore savoir.»

La grande finalité de la vie n'est pas la connaissance, mais l'action.

– Thomas Henry Huxley

CHAPITRE 15

NE VOUS *ZEN* FAITES PAS: SOYEZ DE TEMPS À AUTRE UN PARESSEUX CRÉATIF

Le temps est-il de votre côté?

Dans le livre *Le Petit Prince*, d'Antoine de Saint-Exupéry, le personnage principal arrive de sa planète pour visiter la terre. Un des personnages étranges qu'il rencontre est un marchand qui essaie de lui vendre des pilules permettant aux personnes d'étancher leur soif et de ne pas éprouver le besoin de boire pendant une semaine. Le Petit Prince demande au marchand pourquoi il vend ces pilules. Le marchand répond: «C'est une grosse économie de temps. Les experts ont fait des calculs: on épargne ainsi cinquante-trois minutes par semaine.»

Le Petit Prince lui demande alors: «Que fait-on des cinquante-trois minutes?» Le marchand répond: «On fait ce que l'on veut...» Le Petit Prince, tout émerveillé, se dit: «Si j'avais cinquante-trois minutes à dépenser, je marcherais tout doucement vers une fontaine.»

> Hier est un chèque oblitéré, demain est une traite. Aujourd'hui représente le seul comptant dont nous disposons. Par conséquent, dépensons-le sagement.
>
> *– Kay Lyons*

Cette histoire illustre bien comment nous utilisons le temps et comment nous abordons la vie. En Amérique du Nord, il semble que nous n'ayons jamais assez de temps. Dans cette société qui fait tout, nous conduisons vite, nous marchons vite, nous mangeons vite et nous parlons vite. Le temps est si précieux que nous n'avons même pas le temps de penser au temps qui passe. Les loisirs sont, eux aussi, expédiés à toute vitesse. Personne ne peut monter à cheval, fumer une cigarette, lire un livre ou faire l'amour en même temps. Pourtant, il semble qu'il y ait des personnes qui essayent de faire tout cela. Les gens sont devenus tellement soucieux de contrôler le temps qu'ils ne peuvent trouver le temps de profiter du moment présent. Étant donné qu'ils n'ont pas une minute à perdre, ils ont perdu une partie de leur spontanéité et sont incapables de profiter de ce qu'ils ont.

Le fait d'être très occupé ne signifie pas que ayez la main haute sur le temps. Vivre le moment présent, ici et maintenant, signifie que vous devez vous ouvrir à un moment où il n'y a pas d'autres moments. Si vous pensez continuellement à quel point vous seriez plus heureux si seulement vous étiez plus riche ou plus beau, vous ne faites pas ce qu'il faut pour profiter de la vie et être heureux. Si vous attendez continuellement qu'un événement se produise pour profiter vraiment de la vie, cela signifie que vous n'êtes pas pleinement conscient du monde qui vous entoure. Si vous continuez d'attendre qu'un coup fumeux survienne pour aimer la vie, vous remettrez aux calendes grecques les joies que la vie pourrait vous apporter. Votre bonheur sera immédiat si vous avez la faculté de vous plonger tout de suite dans les choses que vous aimez. Vous commencerez à vivre le moment présent plutôt que de vous contenter d'exister dans un état de semi-conscience.

Engagez-vous à fond dans ce que vous faites plutôt que dans ce que vous obtiendrez en fin de course, et vous saurez que vous vivez vraiment le moment présent. Nous avons besoin de moments de tranquillité ininterrompus pour pouvoir réduire la pression et le stress de la vie moderne. Si vous êtes décontracté, vous agirez de manière plus positive dans votre façon de voir la vie. Ne pas se presser signifie ne pas agir comme tout le monde. Vous serez plus créatif, parce que vous pourrez profiter du moment présent.

Concentrons-nous sur la concentration

Le zen, une discipline orientale qui a comme but l'édification personnelle, insiste sur l'importance de vivre au présent. L'histoire zen qui suit illustre bien l'importance de maîtriser cet art.

Un disciple zen demande à son professeur: «Maître, qu'est-ce qui est zen?» Le maître répond, «Balayer le plancher est zen lorsque vous balayez, comme l'est manger lorsque vous mangez et dormir quand vous dormez.» Le disciple rétorque alors : «Maître, c'est si simple ?» «Bien sûr, répond le maître. Mais, on trouve si peu de personnes qui le font.»

La grande majorité des gens ne vit jamais le moment présent. Ils ratent ainsi beaucoup des occasions que la vie leur offre. Nous pouvons garder davantage à l'esprit le moment présent ou encore le chérir afin d'améliorer notre vie. Notre capacité de vivre le moment présent et de nous concentrer sur la tâche que nous avons à accomplir est un aspect très important du processus créatif, que ce soit sur le plan du travail ou des loisirs.

Pour apprendre à maîtriser le moment présent, il est essentiel de faire une chose à la fois, plutôt que deux ou trois. Il est contradictoire de faire physiquement quelque chose et de penser à autre chose en même temps. Vous n'êtes pas libre de vous consacrer entièrement à une activité quelconque si vous pensez à autre chose en la faisant. Un des problèmes éprouvés à l'heure des loisirs consiste à choisir une activité et à la conserver jusqu'au moment où on doit y mettre fin. Si une tâche ou une action vaut la peine d'être accomplie, c'est qu'elle mérite toute notre attention.

> *Principe de créativité :*
> Vivez au présent

Testez votre capacité à vivre le moment présent en faisant l'exercice suivant :

Exercice 15.1 – En contemplation d'un trombone

Choisissez un objet très simple comme un morceau de craie ou un trombone. Concentrez-vous sur cet objet pendant au moins cinq minutes. Votre tâche est de ne rien laisser s'interposer dans vos pensées au sujet de cet objet. Lorsque vous pensez à ce dernier, pensez à sa forme aussi bien qu'au concept qui lui a donné sa forme. D'où vient-il ? Qui l'a inventé ? Pourquoi a-t-il cette forme là ?

Voici un bon test pour voir comment vous pouvez profiter du moment présent : essayez d'éliminer toutes les pensées que vous pourriez avoir pendant que vous êtes sous la douche. Lorsque vous arriverez au point où la seule chose que vous ressentirez sera cette expérience agréable au son de l'eau

> *La façon la plus rapide de faire plusieurs choses est de n'en faire qu'une seule à la fois.*
>
> *– Samuel Smiles*

qui ruisselle, vous vivrez pleinement votre douche. Lorsque vous vivrez cette expérience, vous vous apercevrez par la suite comme il est facile de laisser son esprit vagabonder dans toutes sortes de pensées, dont la plupart vous volent votre énergie et la jouissance du moment présent.

Si vous n'avez pas fait ce que je vous ai suggéré à l'exercice 15.1, et que vous avez continué à lire, vous avez bien montré à quel point vous vous laissez mener, alors, arrêtez sur-le-champ, et retournez faire l'exercice! Si vous en êtes incapable, oubliez le fait que vous pourriez maîtriser le moment présent et continuez à être vous-même. Vous êtes dirigés par des forces extérieures qui continueront à influencer vos réactions.

Si vous avez réussi à faire l'exercice 15.1, réfléchissez à la façon dont cela s'est passé. Si vous êtes comme la majorité des gens, vous avez dû avoir des problèmes avec des pensées vagabondes. Vous avez dû devenir critique, avez porté un jugement ou vous êtes senti impuissant en faisant cet exercice ridicule. Le fait d'avoir eu de la difficulté à faire cet exercice indique à quel point vos pensées sont en dehors de votre contrôle. Ne désespérez pas: c'est en pratiquant que vous surmonterez ce handicap. Vous pouvez développer cette aptitude à vivre le moment présent si vous le désirez.

Les deux exercices qui suivent vous aideront à développer la faculté de profiter du moment présent. Les gens qui ont utilisé ces exercices reconnaissent qu'ils ont noté une amélioration dans leur faculté d'apprécier le présent.

Exercice 15.2 – Concentrons-nous sur la concentration

Prenez un objet simple et étudiez-le intensément pendant cinq minutes tous les jours. Concentrez-vous sur sa forme, aussi bien que ce qu'il y a derrière celle-ci. Deux ou trois jours plus tard, lorsque vous aurez fini d'explorer cet objet, prenez-en un autre – toujours un simple. Changez d'objet chaque fois que cela s'avère nécessaire. Vous devez pratiquer cet exercice pendant au moins trente jours. La période de gestation est longue, parce que c'est le temps nécessaire pour que notre esprit change et que nous développions une meilleure concentration. Chaque fois que vous manquez une journée, vous

La moitié de notre vie se passe à essayer de trouver quelque chose à faire avec le temps que nous nous sommes empressés d'économiser.

– Will Rogers

devrez retourner à la case départ et essayer pendant une autre période de trente jours consécutifs. Les bénéfices que l'on tire de cet exercice ne peuvent être expliqués dans les écoles d'ingénieurs ou de commerce. Néanmoins, ils sont réels. De cette contemplation, tout le monde ne peut en tirer «l'Ode sur une urne grecque» du poète John Keats, mais les facultés de votre subconscient vont s'épanouir pour permettre de vous concentrer comme vous ne l'avez jamais fait jusque-là.

Exercice 15.3 – Chronométrez votre concentration

Arrangez-vous pour que votre réveil ou votre montre sonne plusieurs fois par jour pour vous aider à vous rappeler qu'il faut vivre au temps présent. Recourez à ce procédé pour garder à l'esprit que vous devez être totalement absorbé par ce que vous êtes en train de faire. Cela peut être une façon de vous rappeler que vous devez vous satisfaire de votre travail en ne faisant qu'une seule chose à la fois, apprécier ce que vous mangez en mangeant lentement, admirer un beau coucher de soleil ou être totalement présent avec les personnes qui sont autour de vous. Peu importe ce que vous êtes en train de faire, essayez de le faire à cent pour cent plutôt que de façon évasive pendant que votre esprit vagabonde à plus de mille kilomètres de là.

Se préoccuper de sujets qui n'ont aucune importance

Il n'y a pas de meilleure façon de ne pas vivre au moment présent que de passer son temps à se préoccuper d'événements passés et à venir. Les choses qui nous préoccupent sont nombreuses. Les gens font des dépressions pour des choses insignifiantes, comme la télévision qui tombe en panne juste avant l'émission qu'ils voulaient voir ou la perte de quelques dollars dans de mauvais investissements. Il y a même des personnes qui se font du souci alors qu'elles n'ont aucun motif de s'inquiéter.

Pensez à toutes les choses que vous devez faire, puis faites-en une.

(Proverbe portugais)

La chose à faire est de mettre les problèmes et les inquiétudes dans une juste perspective. Vous passez complètement à côté du présent si vous ne faites que penser à l'avenir et que vous remettez au lendemain ce que vous pourriez faire aujourd'hui. Vous vous leurrez totalement, si vous pensez que le fait de faire quelque chose de totalement différent dans l'avenir vous rendra heureux. C'est *maintenant* que vous devez être heureux. Il est risqué de vous en faire au sujet de votre retraite et de repousser les choses jusque-là, étant donné que vous ne savez même pas si vous atteindrez cet âge prétendument magique. Gardez votre énergie pour les problèmes vraiment sérieux que vous aurez à résoudre. Remplissez votre vie d'espoir, de rêves et de loisirs créatifs, plutôt que d'inquiétudes.

La capacité de vivre le moment présent est l'une des caractéristiques des personnes dont la créativité est vive. Celles-ci peuvent s'investir totalement dans un projet. Leur niveau de concentration est tellement élevé qu'elles en perdent la notion du temps. Leurs projets les absorbent totalement – elles n'ont donc pas de problèmes de pensée divergente. Quel est leur secret? Elles profitent du moment présent pour ce qu'il est et ne se préoccupent pas de ce qui adviendra plus tard.

> Rien n'a beaucoup d'importance; d'ailleurs, très peu de choses en ont.
>
> – Comte Arthur Balfour

Les gens se volent du temps à eux-mêmes lorsqu'ils se préoccupent de choses soit futiles, soit importantes. Une étude de l'Université de l'État de Pennsylvanie relate que quinze pour cent des Américains passent la moitié de chaque journée à s'inquiéter. Ce phénomène est tellement endémique en Amérique du Nord que certains chercheurs proclament qu'une personne sur trois souffre de problèmes mentaux, à force de se faire du mauvais sang.

La peur, l'anxiété et le sentiment de culpabilité sont des émotions liées à l'inquiétude. Que ce soit au travail ou ailleurs, à tout moment les pensées des gens sont loin, très loin. En général, elles sont dirigées vers des inquiétudes ou des regrets. La plupart des individus s'inquiètent pour ce qui s'est passé hier ou se passera demain.

Passez-vous trop de temps à vous inquiéter et à ne pas vivre au présent? Pouvez-vous vous concentrer et demeurer connecté au temps présent? Lorsque vous passez trop de temps à vous inquiéter par peur de perdre, de rater ce que vous faites ou de commettre des erreurs, vous devenez anxieux et tendu. Un surplus d'inquiétude vous prédispose au stress, aux migraines, aux crises de panique, aux ulcères et à toutes les autres maladies qui y sont rattachées. Nous nous infligeons à nous-mêmes la plupart de nos inquiétudes, ce qui ne sert à rien.

Des études montrent que 40 pour cent de nos inquiétudes portent sur des événements qui ne se produiront jamais, et que 30 pour cent de celles-ci touchent des événements déjà écoulés, 22 pour cent des choses futiles, 4 pour cent des événements réels indépendants de notre volonté et seulement 4 pour cent des événements réels sur lesquels nous pouvons agir. Cela signifie que 96 pour cent de nos inquiétudes constituent une perte de temps. En fait, c'est encore pire: en effet, s'inquiéter pour des choses que nous pouvons contrôler est également du temps perdu, puisque nous n'avons aucune prise sur elles. Le résultat est donc que 100 pour cent du temps que nous passons à nous inquiéter est du temps perdu. (Maintenant, vous pouvez commencer à vous inquiéter à propos de tout ce temps que vous avez perdu pendant que vous vous inquiétiez!)

Ne pleurez pas sur le lait que vous avez renversé. Cela aurait pu être du whisky!

– Un sage anonyme

C'est une perte totale d'énergie que de passer son temps à s'inquiéter du passé ou de l'avenir. Les personnes créatives réalisent que la loi de Murphy a une certaine influence sur la façon dont les choses se dérouleront, c'est-à-dire que «Si quelque chose peut mal tourner, alors ça tournera mal».

Il est certain que nous sommes appelés à faire face à des obstacles au cours de notre existence. Même les personnes très créatives ne peuvent y échapper. Elles savent pertinemment que des difficultés apparaîtront de façon régulière, mais elles réalisent également qu'il existe un moyen de les éviter.

Plus important encore, le fait de vous inquiéter au sujet de vos problèmes vous vole une partie de l'énergie que vous pourriez canaliser pour les résoudre. Voici une bonne attitude que vous devriez adopter: vous dire qu'en fin de compte rien n'a vraiment d'importance et vous demander quelle différence cela ferait si cela en avait. Si vous pouvez vivre selon cette devise, la majeure partie de vos inquiétudes seront éliminées.

Les personnes créatives et vraiment vivantes vont et viennent, avec le courant. En faisant cela, elles reconnaissent l'importance de maîtriser le moment présent.

S'ennuyer revient à s'insulter soi-même

De nombreuses personnes dénuées de créativité déclarent que leur plus grande source d'anxiété est la façon de surmonter leur ennui. Elles ont peur de chaque moment libre. Elles ne savent pas utiliser leur temps de façon efficace, et le bonheur leur échappe. Elles sont des spectateurs de la vie et non des acteurs, et passent leur temps à critiquer les activités des autres. Leur vie n'est que découragement et ennui perpétuel. L'ennui prive les gens du vrai sens de la vie et du goût de vivre. L'ennui frappe également les personnes mariées qui ont un emploi, bien que l'on ait pu penser qu'il frappait plus spécifiquement les personnes seules ou sans emploi.

La vie n'est-elle pas cent fois trop courte pour que nous nous ennuyions?
– Friedrich Nietzche

Ce n'est pas en étant spectateur que l'on profite vraiment de la vie. Vous ne pouvez pas rester assis à attendre que se produisent les événements. Il n'y a que vous qui puissiez prendre la responsabilité de vous placer dans des situations où il peut vous arriver quelque chose. C'est en planifiant et en utilisant votre temps avec sagesse que vous pourrez expérimenter des activités nouvelles qui amélioreront votre qualité de vie.

C'est en vous occupant et en faisant les choses que vous aimez que vous pourrez maîtriser votre ennui. Pour vous aider à combattre ce dernier, entreprenez des tâches nouvelles et difficiles. Je vous fais part du contenu intégral d'une lettre que j'ai reçue d'un professeur de la Faculté de l'éducation d'une université de l'Ouest canadien. Il l'a écrite après sa lecture du livre *L'Art de ne pas travailler.*

> Cher Monsieur Zelinski,
>
> J'ai beaucoup aimé votre livre *L'Art de ne pas travailler.* J'ai décidé que j'étais moi-même la cause de mon ennui et j'ai décidé d'y remédier.
>
> Merci.
>
> John

Cette lettre est la plus puissante, bien que la plus courte, de toutes les lettres que j'ai reçues au sujet de mon livre *L'Art de ne pas travailler.* Le chapitre sur l'ennui qui s'intitulait *Quel-*

qu'un m'ennuie. Je pense que c'est moi, a dû avoir un impact sur John. Il a réalisé qu'il n'y avait qu'une seule personne qui pouvait agir pour vaincre son ennui: ce bon vieux John!

> Je ne m'ennuie jamais nulle part. S'ennuyer est une insulte que l'on s'inflige.
>
> – Jules Renard

Les psychologues ont établi que les personnes qui s'ennuient de façon chronique sont conformistes et anxieuses; elles manquent de confiance en elles, ne font pas preuve de créativité, sont très sensibles aux critiques et très inquiètes pour leur sécurité et pour leurs biens matériels. L'ennui frappera beaucoup plus les personnes qui choisissent de mener une vie sûre et sans risque. Étant donné qu'elles ne prennent aucun risque, elles ne récoltent que très rarement les bienfaits qu'apportent le plaisir et la satisfaction du travail accompli. Les personnes qui choisissent une occupation variée et stimulante sont très rarement frappées d'ennui. Les personnes créatives, qui sont toujours à la recherche de choses à faire ainsi que de différentes façons de les faire, trouvent que la vie est extrêmement passionnante et qu'elle vaut la peine d'être vécue.

À l'heure actuelle, on pense que l'ennui est causé par un élément extérieur. En fait, l'ennui est causé par notre manque d'imagination. Les choses deviennent ennuyeuses parce que nous attendons d'elles qu'elles nous stimulent. Les personnes qui ont toujours besoin de renouveau dans les activités qu'elles ont choisies sont sans aucun doute des personnes dont le besoin de nouveauté est pathologique. Ces personnes essaient de s'évader de la grisaille de leur vie dans le jeu, l'alcool ou les drogues, par manque total d'imagination. Ces gens ne peuvent vivre sans avoir constamment du nouveau dans leur vie. Ils ont la réputation d'être des girouettes qui changent souvent d'emploi, de conjoint et d'environnement, avec un abandon total. Étant donné qu'ils n'utilisent pas leur imagination, ils finissent toujours par s'ennuyer et par être insatisfaits.

Les perfectionnistes qui se fixent des standards tellement élevés qu'ils en deviennent irréalisables sont les candidats de choix pour une vie passée à s'ennuyer et à déprimer. Ils placent ainsi la barre très haut pour leurs amis et pour eux-mêmes. Tout, dans leur vie, doit être passionnant et intéressant. Ces gens qui se veulent parfaits ont tendance à fixer ces standards

> La vie est trop courte pour qu'on prenne le temps de farcir un champignon.
>
> – Storm Jameson

pour leurs conjoints éventuels. Et lorsque ces partenaires ne s'avèrent pas hyper charmants, exceptionnellement beaux et intéressants, les perfectionnistes s'ennuient en leur compagnie. Ils finissent par les rejeter parce qu'ils les trouvent trop ennuyeux, mais ne voient pas que ce sont eux-mêmes les fautifs.

Nous devons confronter l'ennui quand il frappe. Ce n'est qu'en utilisant notre imagination que nous surmonterons l'ennui. Votre empressement à vous responsabiliser pour votre ennui est la force créatrice qui éliminera ce dernier. Une fois que vous aurez accepté le fait que votre attitude détermine votre qualité de vie, vous serez sur la bonne voie pour éliminer l'ennui et le découragement.

Le manque de spontanéité est l'une des caractéristiques des morts

Une bonne façon d'apprendre à vivre le moment présent et de surmonter l'ennui est de faire preuve de spontanéité de temps en temps. Contrairement à ce que fait la majorité, les adultes naturellement spontanés peuvent s'afficher comme tels. La spontanéité est pratiquement synonyme de vie créative. Les personnes qui vivent leur créativité à fond n'ont pas d'inhibitions. Elles peuvent exprimer leurs vrais sentiments. Elles peuvent, tout comme les enfants, s'amuser et faire les folles. Elles peuvent également décider à l'improviste de faire quelque chose qu'elles n'avaient pas planifié au début de la journée.

> Apprenez à aimer toutes les petites choses de la vie, parce que les grandes choses ne se produisent pas souvent.
>
> *– Andy Rooney*

Quel est votre niveau de spontanéité? Faites-vous toujours ce que vous aviez prévu de faire en début de journée? Suivez-vous toujours une routine? Combien de fois décidez-vous de ne pas suivre les plans que vous aviez prévus pour faire quelque chose de différent? J'ai remarqué que lorsque je faisais quelque chose de spontané, des événements inattendus et intéressants se produisaient. Je me suis retrouvé de nombreuses fois à vivre des événements très gratifiants qui ne se seraient jamais produits si j'avais adhéré de manière inflexible à mes plans initiaux.

Abraham Maslow, le célèbre psychologue et humaniste, croyait que la spontanéité est un trait de caractère que les gens perdent souvent en vieillissant. Il a fait remarquer : « N'importe quel enfant peut composer une chanson ou un poème, danser, peindre ou jouer sous l'inspiration du moment sans avoir planifié quoi que ce soit ni avoir eu quelque intention préalable. » Selon lui, la plupart des adultes perdent cette capacité. Néanmoins, Maslow a découvert qu'une infime partie des adultes ne perd pas ce trait de caractère ou que si elle le perd, elle le retrouve plus tard au cours de la vie. Ces personnes ont réalisé et ont acquis une santé mentale extraordinaire. Maslow a nommé cet état « l'état de l'être humain complet ». Il a découvert que les personnes qui se sont réalisées demeurent spontanées et très créatrices pendant qu'elles se dirigent vers la maturité.

> *Quelle vie merveilleuse j'ai eue ! J'aurai aimé l'avoir vécue plus tôt.*
>
> *– Colette*

Pour renouveler votre idée de ce qu'est la spontanéité, observez les enfants. Si vous pouvez redevenir un enfant, vous pouvez être spontané. Être spontané veut dire remettre en question ce que vous aviez prévu. Cela signifie pouvoir essayer quelque chose sous l'impulsion du moment parce que vous pourriez fort bien aimer cette expérience. Bien que la plupart des comptables et des ingénieurs – des êtres organisés par excellence – aimeraient probablement essayer de planifier pour se montrer plus spontanés, personne ne peut planifier la spontanéité. La « spontanéité planifiée » est un oxymoron ; « spontané » signifie « non planifié ».

Être spontané signifie également qu'on laisse plus d'occasions prendre place dans sa vie. Plus vous laisserez de place au facteur chance dans votre univers, plus celui-ci deviendra intéressant. Faites entrer davantage de personnes dans votre vie. Communiquez avec elles et exprimez-vous, surtout si elles possèdent un point de vue différent du vôtre. Vous pourriez apprendre quelque chose de nouveau.

Rappelez-vous que vous devrez être spontané sur une base régulière. Chaque jour, exercez-vous à faire quelque chose que vous n'aviez pas planifié. Choisissez et faites une chose nouvelle et passionnante sous l'impulsion du moment. Cela peut être peu important, comme prendre une route différente, manger dans un autre restaurant ou assister à un autre genre de spectacle. Vous pouvez rendre votre vie beaucoup

> *Les seules personnes vraiment constantes sont les trépassés.*
>
> *– Aldous Huxley*

plus intéressante en faisant entrer du nouveau dans vos activités

Soyez un paresseux créatif, tout en étant plus productif

Un spécialiste en efficacité avait été engagé par la société Ford pour évaluer le rendement de l'entreprise. Le rapport de celui-ci se révéla des plus favorables, excepté dans le cas d'un employé qu'il avait dans son collimateur. L'expert déclara à Henry Ford : « Vous voyez cet homme dans ce service ? Vous gaspillez de l'argent à cause de lui. Chaque fois que j'entre là, je le vois assis à ne rien faire, les pieds sur le bureau. » Henry Ford répondit alors : « Cet homme a déjà eu une idée qui nous a fait épargner des millions de dollars. » Le grand constructeur d'autos ajouta alors : « Au moment où il a eu cette idée, ses pieds étaient sur le bureau, exactement là où ils se trouvent aujourd'hui. »

Henry Ford a défendu l'employé qui mettait ses pieds sur son bureau, parce qu'il reconnaissait la valeur des flemmards créatifs. Ces individus sont très performants, car ils ont tendance à être très productifs et innovateurs dans une structure de temps optimal. Les flemmards créatifs ne sont certainement pas des bourreaux de travail ; ils sont cependant capables de travailler très intensément lorsqu'ils en ont envie ou que cela est nécessaire. Ces gens sont en fin de compte plus productifs que les bourreaux de travail.

> La recette du bonheur total consiste à être très occupé avec ce qui n'est pas important.
>
> – Edward Newton

Il y a eu, tout au long de l'histoire beaucoup de personnes très créatives dont la productivité résultait de leur capacité à paresser. Mark Twain a écrit la majeure partie de son œuvre allongé. Samuel Johnson ne se levait que très rarement avant midi. D'autres, comme Oscar Wilde, Bertrand Russell et Robert Louis Stevenson avaient la réputation d'être des fainéants invétérés.

Je vais vous indiquer un autre bon point sur lequel vous devriez vous pencher pour améliorer votre qualité de vie : remettez en question votre conception du travail et des loisirs. On a toujours dit que la réussite dépendait du nombre d'heures travaillées. Cela est rarement le cas, contrairement à ce que l'on pense. Pour de mystérieuses raisons, les personnes qui préconisent les vertus d'un dur labeur dans notre société ne voient pas le fait que des millions de personnes travaillent le nez dans la poussière toute leur vie et finissent avec rien d'autre qu'un nez sale. Elles ne réalisent certainement pas leurs rêves.

Le magazine *The Economist* relatait, en 1996, que bien que le surmenage au travail soit tout à fait courant en Amérique du Nord, quelques entreprises commençaient à voir clair et essayaient de l'empêcher. Hewlett-Packard, par exemple, a entrepris une campagne auprès de ses 100 000 employés pour qu'ils aient un meilleur équilibre entre leur travail et leurs loisirs, en leur demandant quelle valeur une tâche pourrait avoir et ce qui se produirait s'ils ne l'accomplissaient pas. Susan Moriconi, qui est à la tête de la société Work Life Program, déclare qu'il n'est pas nécessaire de travailler de longues heures, et que les voyages d'affaires inutiles ne font que réduire la créativité et épuisent physiquement et moralement les employés.

De nombreuses personnes n'ont pas pris le temps de constater qu'il peut être dommageable de croire que travailler durement est une vertu. Bien que le travail soit nécessaire à notre survie, le fait de travailler de longues heures ne contribue pas au bien-être de l'homme, contrairement à ce que nombre de personnes pensent.

> Ils s'intoxiquent eux-mêmes en travaillant pour ne pas voir ce qu'ils sont.
> – Aldous Huxley

Comment profiter de vos moments de loisir?

Vivre le moment présent est extrêmement important pour maîtriser l'art de s'occuper de ses loisirs. Les loisirs sont censés être une chose facile à gérer pendant les week-ends et lorsque nous prenons notre retraite. Il n'y a rien qui soit plus loin de la vérité. Nous sommes conditionnés à travailler et nous nous sentons coupables lorsque nous ne travaillons pas. Beaucoup de gens ont peur de leurs temps libres ou ne savent tout simplement pas comment en profiter. Quelques chercheurs disent que la plupart des Américains ne veulent pas avoir davantage de périodes de loisir. Ils ne trouvent de satisfaction et de signification que dans le travail.

Principe de créativité :

Soyez spontané

La discipline et une certaine attitude sont obligatoires pour utiliser avec sagesse ses moments de loisir. Pour devenir un connaisseur en loisirs, vous devez vous arrêter souvent pour humer le parfum d'une rose. Les loisirs doivent être autre chose qu'une période d'arrêt de travail. On devrait utiliser ses périodes de loisir pour faire des choses comme poursuivre une conversation amicale, jouer au tennis, faire l'amour ou admirer un coucher de soleil. On le fait tout simplement pour le plaisir de le faire. Les vrais loisirs sont des choses que l'on fait par pur plaisir, et non pour être aussi productif qu'au travail.

Si vous n'arrivez pas à trouver des activités que vous aimeriez entreprendre, vous travaillez trop et vous n'avez pas assez passé de temps à apprendre à vous connaître. Il n'est jamais trop tard pour développer de nouveaux intérêts ou pour apprendre un nouveau sport ou une nouvelle technique. Commencez par écrire ce que vous aimeriez faire dans votre vie avant de mourir. Votre liste peut inclure ce que vous aimez faire actuellement, des activités que vous avez déjà aimés mais que vous avez cessé d'accomplir et, enfin, ce que vous avez pensé faire un jour mais que vous n'avez jamais essayé. Pensez à toutes les choses que vous aimez dans la vie. Puis, établissez un lien entre ces choses et les activités de loisirs que vous pouvez pratiquer. Voici une liste créée par l'auteur anglais Agatha Christie (1890-1976), qui est incluse dans son autobiographie. Cette liste vous aidera peut-être à trouver des choses qui pourraient vous intéresser.

- Le soleil ;

- Des pommes ;

- N'importe quelle sorte de musique ;

> Si les gens aimaient vraiment travailler, nous serions encore en train de labourer les champs avec des bâtons et de transporter les fardeaux à dos d'homme.
>
> – William Feather

- Des devinettes à base de chiffres et tout ce qui peut se rapporter aux chiffres ;

- Aller à la mer ;

- Se baigner et nager ;

- Le silence ;

- Dormir ;

- Rêver ;

- Manger;

- L'odeur du café;

- Le muguet;

- La plupart des chiens;

- Aller au théâtre.

Vous remarquerez que des loisirs de qualité dépendent de notre engagement dans des activités qui présentent des risques et des défis. Des activités passives comme regarder la télévision et faire des courses ne vous apporteront pas grandes satisfactions. Les activités actives sont la lecture, l'écriture, l'exercice physique, suivre un cours et apprendre une nouvelle langue. Étant donné que ces activités comportent des risques et un défi, elles sont plus satisfaisantes et agréables.

Votre qualité de vie dépendra de la façon dont vous utiliserez vos moments de loisir. Être vous-même signifie que vous choisissez comment établir vos loisirs pour qu'ils reflètent votre individualité et votre personnalité. Établissez votre propre emploi du temps sans faire de compromis avec les goûts d'une autre personne. En utilisant vos moments de loisirs avec sagesse, vous serez assuré de continuer de grandir et d'apprendre à toutes les étapes de la vie. N'oubliez pas les simples plaisirs de l'existence. Si vous vous ennuyez ou si vous vous sentez seul :

> *Le travail est le refuge des gens qui n'ont rien à faire de mieux.*
> *– Oscar Wilde*

- Allez au café du coin observer les passants;

- Parlez à cœur ouvert avec un enfant de six ans;

- Faites une promenade de deux heures au parc;

- Faites une sieste;

- Planifiez une réception et invitez des gens intéressants;

- Marchez pieds nus dans un ruisseau;

- Lisez un roman de gare près d'une rivière;

- Allez à un concert;

- Commencez un nouveau sport, pour le simple plaisir;

- Admirez la beauté de la nature qui vous entoure;

- Octroyez-vous des mini-vacances;

- Commencez à écrire un livre ;

- Passez la journée entière au parc, à regarder les passants ;

- Regardez jouer les enfants ;

- Téléphonez à un vieil ami à qui vous n'avez pas parlé depuis longtemps.

Recherchez de nouvelles personnes, de nouveaux lieux et de nouveaux points de vue. L'inconnu et l'inattendu ajouteront quelque chose à vos expériences de vie. Des activités comme la musique, le jardinage, la méditation et les promenades à pied au parc peuvent être teintées de spiritualité. Risquez, expérimentez et n'oubliez pas de vous amuser en même temps. Dégagez de nouvelles énergies créatrices pour continuer de façon positive, sans tenir compte des événements négatifs qui semblent conspirer contre vous. Trouvez des raisons pour faire ce qui est important au lieu de ne pas les faire.

> *Si le travail pénible était une chose aussi merveilleuse, les riches l'auraient gardé pour eux tout seuls.*
>
> *– Lane Kirkland*

Mangez, buvez et soyez heureux... Parce que nous pouvons mourir demain

> *Mes passe-temps préférés sont la lecture, écouter de la musique et le silence.*
>
> *– Edith Sitwell*

Choisir d'abandonner votre vie de fou et intégrer plus de périodes de loisir dans vos journées peut conduire à une vie beaucoup plus riche. Ce que l'on perd d'un côté, on le gagne de l'autre. Cela prend du courage et de la confiance en sa propre intuition pour arriver à changer sa vie et à renoncer en même temps à la sécurité et à un bon montant d'argent. Voici le contenu d'une lettre que Rita, qui habite Vancouver, m'a envoyée. Elle a décidé de prendre un congé sabbatique de son emploi.

> Cher Monsieur Zelinski,
>
> Je viens de terminer de lire votre livre *L'Art de ne pas travailler* (oui, j'ai également fait tous les exercices). Je l'adore ! Félicitations pour cet excellent livre.

J'ai enseigné dans une école de musique pendant douze ans, travaillant de six à douze heures par jour, sept jours par semaine, sans jamais prendre de vacances. Au départ, j'avais pris cet emploi pour pouvoir financer mes études en commerce, mais j'ai continué à y travailler par habitude pendant les cinq ans qui ont suivi l'obtention de mon diplôme.

Cet emploi détruisait ma vie. Donc, il y a deux mois, j'ai décidé de prendre ma «retraite» (après tout, je suis encore dans la vingtaine). Je n'étais pas prête à affronter mon nouveau mode de vie, bien que j'étais très heureuse de ma décision. Mes amis et mes collègues m'ont énormément critiquée, et j'ai dû trouver de nouvelles façons d'employer mon temps.

Après avoir lu votre livre, je suis certaine d'avoir pris la bonne décision. À l'heure actuelle, je suis fière de ne pas travailler.

Sincèrement,

Rita

J'ai eu l'occasion de parler à Rita, environ six mois après avoir reçu sa lettre. Son congé sabbatique lui avait fait beaucoup de bien. Elle m'a annoncé qu'elle avait repris son emploi, mais qu'elle ne travaillait plus autant d'heures. Elle trouvait du plaisir dans ce qu'elle faisait et était plus productive.

> *Nous travaillons pour devenir quelqu'un, et non pour acquérir des biens.*
> *– Elbert Hubbard*

Vous pouvez arriver à contrôler votre vie et à mieux l'équilibrer en réorientant la relation que vous avez avec les loisirs. Votre vie sera beaucoup plus amusante si vous décidez d'être quelqu'un de très performant tout en gardant un équilibre sain entre le travail et les loisirs, au lieu d'être un bourreau de travail. Souvenez-vous que vous minez votre vie si vous passez trop de temps à travailler et pas assez de temps à vous amuser. Votre vie sociale et votre travail en souffriront aussi. Gardez également à l'esprit que vous ne connaissez personne qui, sur son lit de mort ait dit: «J'aurais aimé travailler davantage.»

> *Travaillez. Voilà ce que vous devez faire pour qu'à un moment donné vous n'ayez plus besoin de le faire.*
> *– Alfred Polgar*

Vivre à fond signifie que l'on peut profiter du moment présent. Votre vie sera plus passionnante lorsque vous aurez appris à moins vous presser et à être plus conscient du moment présent.

Pour profiter du moment présent, il faut apprendre à être attentif au monde qui vous entoure, ce qui vous permettra d'avoir plus de contrôle sur les événements importants de votre existence. Chacune de vos journées sera plus belle, plus riche et plus passionnante si vous apprenez à vivre intensément vos activités de loisir.

Les loisirs offrent des occasions illimitées de grandir et d'éprouver des satisfactions. Avec un peu d'idées, vous devriez avoir la capacité et la liberté de trouver du temps pour entreprendre des activités créatives. En étant créatif, vous aurez le net avantage de pouvoir décider de votre emploi du temps, de vos périodes de loisir, de vos amis et de vos relations pour adopter un mode de vie qui est vraiment le vôtre.

Ne passez pas votre temps à rêver et à fantasmer sur la meilleure qualité de vie que vous pourriez avoir si vous viviez une relation amoureuse plus satisfaisante, si vous gagniez plus d'argent ou si vous aviez un meilleur emploi. L'importance de vivre au présent doit être un élément bien clair dans votre esprit. Si vous remettez à plus tard la chance que vous avez de vivre, elle pourrait bien s'évanouir.

> Lorsque le plaisir nuit au travail, laissez tomber le travail.
>
> *– Un sage anonyme*

C'est *maintenant* que vous devez vivre. Comme un sage l'a dit: «Mangez, buvez, soyez heureux parce que nous pouvons mourir demain.»

LA CRÉATIVITÉ EST UN MOT DE QUATRE LETTRES

Pourquoi devez-vous devenir prestidigitateur ?

Au cours des chapitres précédents, nous avons examiné les principes que je considère comme étant vitaux pour notre réussite sur le plan de la créativité. S'ils sont observés de façon régulière, ils peuvent rendre notre vie très différente. Nous avons aussi une chance qu'ils aient un certain impact sur nos vies et sur celle des personnes qui nous côtoient, même si nous ne les appliquons que de temps à autre.

La question qui se pose est celle-ci : « Si nous suivons les principes de créativité, sommes-nous assurés de réussir notre carrière ? » Avant de répondre à cette question, j'aimerais que nous jetions un coup d'œil au monde qui nous entoure. Voici les caractéristiques du monde dans lequel nous vivons et du climat auquel nous devons faire face. Que nous le voulions ou pas, nous n'avons pas le choix, nous ne pouvons pas y échapper.

> *Vous pensez avoir compris la situation, mais ce que vous ne comprenez pas, c'est que la situation a évolué.*
>
> *(Publicité dans un journal financier)*

- Des changements rapides et importants ;
- Des événements imprévisibles ;
- Des conditions instables et chaotiques ;
- L'impact de la haute technologie ;
- Les dégraissages sauvages d'organigrammes et les restrictions budgétaires ;
- La force prodigieuse du consumérisme ;
- L'économie mondiale.

Bienvenue dans ce nouveau millénaire! Personne ne peut tenir quoi que ce soit pour acquis dans le monde du travail.

Les changements ne sont pas seulement rapides: ils s'accélèrent à un rythme affolant. On avait prévu que les années 1990 seraient des années de changement rapide. Nous nous apercevons maintenant que les changements survenus au début des années 1990 se sont produits à la vitesse d'une tortue, comparativement avec ceux qui se sont déroulés au début des années 2000. Maintenant que nous sommes entrés dans le nouveau millénaire, nous pouvons nous attendre à ce que la vitesse des changements s'accélère. Cela signifie qu'il n'y a maintenant plus rien de sûr et d'acquis dans notre monde: au cas où vous ne l'auriez pas remarqué, la seule chose dont nous sommes certains, c'est l'incertitude.

> Plus le monde devient prévisible, plus nous dépendons des prévisions.
>
> – *Steve Rivkin*

Pour survivre dans le monde moderne, vous devez devenir une sorte de funambule, de prestidigitateur qui change de vêtements en un tournemain. Jetez tout simplement un coup d'œil aux grands titres des grands journaux nationaux récents comme *The Globe and Mail*, *USA Today* et *Fortune*. Que lisez-vous? Des titres tels: «Avez-vous une sécurité d'emploi?», «Moins d'emplois pour les architectes», «Les réductions de personnel? Un mal nécessaire!», «Pourquoi tant cadres quittent-ils leur emploi pour se lancer en affaires?», «Qu'arrive-t-il donc à l'emploi en Amérique du Nord?», «Comment survit le personnel de direction qui se fait licencier?» Lorsque nous observons ces titres, nous voyons très bien que s'il existe une chose sur laquelle nous pouvons bien compter sur le marché du travail, c'est certainement l'insécurité. C'est la seule garantie que nous ayons.

> Le seul conte de fées des temps modernes commence ainsi: «Il était une fois un emploi stable…»
>
> – *Un sage anonyme*

Donc, même si nous suivons à la lettre les principes de créativité énoncés dans ce livre, notre réussite demeure incertaine. Alors, me demanderez-vous, pourquoi devons-nous suivre et appliquer ces principes et ces techniques? Tout simplement parce que nos chances de réussir sur le plan de la créativité sont meilleures si nous persistons à poursuivre ces principes. C'est en persévérant dans notre créativité que nous serons récompensés dans la plupart – voire la majorité – des projets que nous entreprenons.

Comme tout bon funambule, vous pourrez vous adapter aux événements qui surviendront. Vos opinions, vos croyances et vos valeurs doivent être empreintes d'une certaine souplesse si vous voulez survivre dans ce monde où tout va si vite. Évitez d'être rigide, et votre vie en sera facilitée. Pour certaines personnes, changer de valeurs, d'opinion, de croyance est un signe de faiblesse. Au contraire, la capacité de changer dénote la force et la volonté de grandir et d'évoluer.

Ce n'est pas pour rien qu'il existe un dicton qui dit que seuls les fous et les morts ne changent pas de croyance ou d'opinion. Comme je l'ai mentionné plus tôt, vous *pouvez* changer, peu importe qui vous êtes. Je veux insister sur le fait que plus vous vous montrerez inflexible et moins vous serez attentif aux personnes, aux choses et aux événements, plus vous aurez des problèmes à vivre et à vous adapter à notre monde, où les changements surviennent rapidement.

Comme je l'ai exposé dans la préface, mon expérience de conférencier occupé à enseigner la créativité montre que les personnes qui auraient le plus besoin de changer leur façon de penser sont celles qui résistent le plus au changement. La réciproque est vraie en ce qui concerne celles qui savent s'adapter à toutes les circonstances et qui font preuve de beaucoup de créativité. À leurs yeux, le changement est quelque chose de passionnant et elles se montrent toujours prêtes à remettre en question leurs points de vue et à en changer au besoin.

Il existe deux dangers inhérents au fait de ne pas remettre en question nos points de vue pour voir s'ils sont encore valides :

- Nous risquons de nous trouver prisonniers d'une seule façon de penser, ce qui nous empêche de voir les autres possibilités qui pourraient être plus appropriées.

- Nous risquons d'adhérer à des valeurs pleines de bon sens, mais qui, avec le temps, changent. Les valeurs que nous avions au départ ne sont alors plus pertinentes, mais nous continuons à fonctionner avec elles, même si elles sont démodées.

Le nouveau millénaire risque d'être frustrant et peu gratifiant pour les personnes qui négligeraient d'utiliser leurs capacités créatrices, car les gens qui mettront celles-ci en valeur et qui en feront une utilisation constante se verront offrir une foule d'occasions. L'avenir appartient à ceux qui apprendront à évoluer et à réussir malgré les incertitudes. Les personnes qui ont appris à penser de manière latérale, à chercher des solutions de rechange, à voir ce qui est évident, à prendre des risques, à célébrer leurs échecs, à aller jusqu'au bout de leurs idées et à aimer le chaos se classeront au premier rang. Elles seront les chefs d'entreprise de demain ou se retrouveront à la tête d'organismes avant-gardistes.

Un nouveau paradigme de la réussite[13]

J'ai découvert que certaines personnes suivaient les suggestions contenues dans mes livres pour toutes les mauvaises raisons possibles. Je suis persuadé que vous ne ferez pas la même erreur. Thomas Carlyle a déclaré : « Le meilleur effet que les livres puissent avoir est d'inciter les lecteurs à l'action. » J'espère que ce livre vous aura ouvert de nouveaux horizons. C'est *maintenant* que vous devez prendre en main tout ce qui a un rapport avec votre vie et mener cette dernière à votre guise. J'espère qu'en quelque sorte vous aurez la motivation nécessaire pour entreprendre à court terme certains des projets difficiles qui permettront à votre vie de devenir plus facile à longue échéance. Comme vous l'avez maintenant appris, la vie n'est pas un jardin de roses. Cependant, si vous suivez les dix-sept principes énoncés dans ce livre, il ne vous sera pas difficile de vous inventer une vie enrichissante, que ce soit au chapitre du travail ou des loisirs.

Il se trouvera toujours des personnes pour penser que ce livre est un livre de recettes pour devenir riche et célèbre. La réussite créative n'a pourtant rien à voir avec la richesse et la célébrité. Si vous pensez que votre vie n'est pas satisfaisante et que la richesse et la célébrité vous apporteront ce que vous n'avez pas, vous aurez besoin d'une révolution conceptuelle pour vous remettre sur la bonne voie. On appelle « paradigme » une croyance ou une explication d'une situation partagée par un groupe de personnes. Changer un vieux paradigme pour

---

13. Ne doit pas être pris au sens linguistique du terme. Dans la littérature anglo-saxonne récente, le terme « paradigme » prend le sens que lui a donné le chercheur et philosophe Thomas S. Kuhn : école de pensée, philosophie, *Weltanschauung*. (N.d.T.)

un nouveau est une manière nouvelle et différente de penser à de vieux problèmes.

Ce changement conceptuel doit impliquer une nouvelle façon de voir ce que représente la réussite. On peut réussir sans devenir pour autant riche et célèbre. La réussite telle qu'elle est représentée par la société a pour synonymes un salaire très élevé, une maison luxueuse et des voitures hors de prix. Ce n'est pas la seule manière de définir la réussite : elle peut l'être de bien des façons. En changeant notre paradigme, la réussite prend une tout autre signification.

> *Si vous voulez entendre parler de la puissance et de la gloire des riches, demandez l'avis d'un homme qui les recherche. Si vous voulez entendre parler des ennuis et des difficultés que la richesse apporte, parlez-en à un homme qui est riche depuis longtemps.*
>
> *– Stanley Goldstein*

Les personnes extrêmement créatives qui réussissent s'intéressent au monde qui les entoure. Leur attention n'est pas orientée exclusivement sur elles, leur carrière ou leur entreprise. Elle se dirige également sur l'environnement, les pauvres, les classes défavorisées et la paix dans le monde.

Le but de beaucoup de gens, à l'heure actuelle, est de devenir chef d'entreprise. Si vous désirez un tel poste dans le seul but de devenir riche et célèbre, vous ne serez qu'un minable patron. Pour devenir un bon chef d'entreprise, il vous faudra regarder quelle contribution vous pourrez apporter à notre monde pour qu'il soit plus agréable d'y vivre. Si vous gagnez un revenu modeste en vendant un produit qui améliore la qualité de vie de vos concitoyens, votre satisfaction sera dix fois supérieure à celle que vous auriez si vous gagniez beaucoup d'argent en vous livrant à quelque activité qui ne serait pas bénéfique à tous, par exemple en faisant partie d'une chaîne de ventes pyramidales ou en distribuant des cigarettes de contrebande.

La phrase de Vince Lombardi[14], « La seule chose qui compte, c'est de gagner », ne devrait pas être interprétée à la lettre. Il y a, par exemple, des gens qui croient que les joueurs des Bills de Buffalo, de la Ligue nationale de football, sont des « losers » parce qu'ils ont perdu le *Superbowl* quatre années de suite. Et

---

14. Célèbre entraîneur de base-ball américain. Les amateurs se souviendront de ses succès lorsqu'il travaillait pour les Giants de New York, les Packers de Green Bay ou les Redskins de Washington. On l'a surnommé « l'entraîneur du siècle » pour sa rage de gagner. (N.d.T.)

combien d'autres équipes de football sont-elles arrivées en finale du *Superbowl* quatre années de suite? Cette équipe est l'une des meilleures qui n'aient jamais existé, et des crétins osent qualifier ses joueurs de «perdants».

Il est toujours difficile de résister à la tentation de penser que les gens qui ont réussi sont obligatoirement riches et célèbres. La richesse et la célébrité sont des sortes d'avantages sociaux de la vie, mais elles ne sont pas indispensables pour vivre de façon créative et productive. Cette obsession que nous avons vis-à-vis de la richesse et de la célébrité montre bien les fausses valeurs véhiculées en Amérique du Nord. Si jamais ces valeurs sont les vôtres, vous devriez essayer de voir les choses autrement. Si vous croyez vraiment que la richesse et la gloire sont nécessaires pour être heureux et pour réussir, vous finirez désenchanté et insatisfait.

> *«Je ne veux pas être le macchabée le plus riche du cimetière.»*
>
> (Chanson de Ben Kerr[15])

La lettre suivante m'a été envoyée par un homme qui avait lu *L'Art de ne pas travailler*. Cette lettre traduit bien le pouvoir qui nous échoit lorsque l'on redécouvre sa créativité pour d'autres raisons que celle d'atteindre la richesse et la célébrité.

> Monsieur Zelinski,
>
> Votre livre *L'Art de ne pas travailler* m'a fait remarquer qu'il existe des choses mauvaises dans notre société, comme le matérialisme et l'attitude complètement débile que nous manifestons vis-à-vis notre travail. Mais ce qui m'a le plus impressionné, c'est de voir comme vous insistez sur le fait que pour obtenir de meilleurs résultats dans la vie nous devrions beaucoup utiliser bien plus notre créativité et notre imagination.
>
> Après avoir lu votre livre, j'ai commencé à examiner mon existence d'une façon totalement différente. À ma grande surprise, je me suis découvert un côté créatif que je ne me connaissais pas. Je viens de passer la dernière année à écrire un livre et je ne me suis jamais senti aussi bien en accomplissant une tâche. Tellement bien qu'il fallait que je vous envoie ce mot. Pendant tout ce temps consacré à l'écriture, mon leitmotiv était celui de la

---

15. Chanteur ambulant et philosophe des rues de Toronto. Personnage fétiche de l'auteur.

page 138 de votre ouvrage: «Si une autre personne que vous aime votre livre, celui-ci est une réussite. Au-dessus d'une personne, c'est un bonus.»

Mes respects.

N.K.

Qu'il s'agisse d'écrire ou d'apprendre à jouer du piano dans un autre but que gagner de l'argent, un exutoire créatif confirmera votre créativité. Penser de façon créative vous permettra de vous rendre compte que le fait de modifier vos valeurs pour en adopter d'autres qui mettent moins l'emphase sur la renommée et le matérialisme a ses mérites.

> *Pour certaines personnes, réussir c'est être célèbre; pour d'autres, c'est demeurer dans l'anonymat.*
> *– Ashleigh Brilliant*

Peu importe la richesse et la popularité que vous connaîtrez au cours de votre vie, le nombre de personnes qui assisteront à votre enterrement dépendra du temps qu'il fera.

Pour obtenir davantage des autres, il faut commencer par se connaître soi-même

Tout le monde peut rendre sa vie plus satisfaisante et lui donner plus de sens en redoublant de créativité et en profitant de tous les plaisirs qui lui sont offerts. Pour réussir, les gens ont besoin d'une mission à remplir, d'un but à atteindre, d'une haute estime d'eux-mêmes, d'une attitude positive, et de la capacité de savoir profiter des loisirs. La majeure partie de ce livre traitait du monde extérieur. Nous pouvons atteindre un certain degré de bonheur en nous ouvrant au monde. Nous pouvons tirer une certaine satisfaction en ayant un emploi intéressant, en jouant au tennis, en nous faisant des amis, en voyageant vers des destinations exotiques ou en allant à l'opéra. Nous

> *Il est plus important de peindre un beau tableau que de le vendre.*
> *– Edward Alden Jewell*

ne devons cependant pas oublier toutes les grandes satisfactions que nous pouvons tirer de notre spiritualité. Si nous ne nous occupons pas de notre spiritualité, le monde extérieur ne nous offrira que des satisfactions sporadiques. Pour mieux profiter du monde extérieur, nous devons être à l'écoute de ce que notre spiritualité nous inspire.

Une fois nos besoins fondamentaux satisfaits, la spiritualité est sans doute l'élément le plus important pour obtenir une vie gratifiante. La spiritualité est souvent l'élément le plus négligé; les gens n'en tiennent pas compte ou la rejettent parce qu'ils vivent dans une société férocement matérialiste. Beaucoup de gens recherchent quelque chose d'extérieur pour combler un vide qui ne peut être rempli qu'en développant sa spiritualité. La société nous montre à accorder de la valeur aux choses matérielles et à ne pas tenir compte des ressources intangibles de notre spiritualité. Une vie facile nous attend au coin de la rue avec l'arrivée d'un nouvel emploi, d'un gain substantiel à la loterie ou d'un nouveau conjoint. Orientés vers le monde extérieur, les gens peuvent devenir tellement désespérés à force de désirer certaines choses qu'ils finissent par provoquer l'effet contraire et par voir ces choses s'éloigner d'eux. Ils recherchent un sauveur qui viendra de l'extérieur, alors qu'en fait le sauveur est en eux. Ces gens sont à la merci du jugement des autres, ce qui ne sert qu'à réduire leurs chances de se développer.

Le taoïsme, comme la plupart des religions, nous enseigne que lorsque nous cherchons à l'intérieur de nous, nous trouvons tout ce dont nous avons besoin pour que nos vies soient riches et gratifiantes. Grâce à cette introspection, nous trouverons la clarté; vivre n'exigera plus d'efforts de notre part, parce que nous aurons gagné la simplicité. Le taoïsme insiste sur le fait que la simplicité est l'ultime expression du pouvoir personnel. La spiritualité se trouve à la base même de la confiance et de l'estime de soi.

> *Ceux d'entre nous qui possèdent une spiritualité profonde et réelle sont les mieux armés pour passer outre aux détails irritants de la vie moderne.*
>
> *– Evelyn Underhill*

La spiritualité peut ne pas être importante aux yeux des adolescents et des jeunes dans la vingtaine. Il s'agit cependant d'un ingrédient indispensable à notre développement personnel lorsque nous prenons de la maturité. Nous atteignons la spiritualité en utilisant des niveaux de conscience beaucoup plus élevés que ceux dont nous avons besoin pour faire du sport, pour nous divertir ou pour travailler. Les jeunes adultes célibataires équilibrés ne sont pas à la merci du monde extérieur, parce qu'ils ont pris le temps de développer leur monde intérieur.

La spiritualité nous offre la clé pour une vie remplie de joie, de satisfaction et de bonheur. Lorsque vous répondez à la spiritualité et à votre voix intérieure, vous gagnez une force et une confiance que le monde extérieur ne pourra vous apporter. La meilleure façon de sortir de la solitude et de la tristesse est de développer votre spiritualité. Se développer est une chose qui peut se révéler mystérieuse, mais c'est également merveilleux et fascinant. Se remettre en question et prendre de la maturité entraînent une autodétermination qui, elle, nous apporte plus de liberté. Vous devez observer l'intérieur de votre être pour obtenir davantage du monde extérieur.

Les personnes très créatives ne s'élèvent jamais assez haut

Lorsque vous observerez des personnes créatives, vous verrez qu'elles ont réussi dans leur emploi et dans leurs loisirs. Voici les traits de caractère de ces êtres qui ont trouvé un équilibre de vie.

Les personnes créatives sont différentes. La majorité des gens passent leur temps à essayer d'être comme le reste du monde. Ils vivent en conformité avec les autres, parce qu'ils recherchent l'approbation de tous. Ils ne veulent pas se distinguer. Les personnes créatives n'éprouvent aucun problème à être différentes des autres. Elles tranchent sur la masse et ne permettent pas à la société de dicter leur conduite. Elles ne se laissent pas aller aux bavardages inutiles pour être dans le ton et se montrer poli. À leurs yeux, le conformisme est ennuyeux et entrave leur possibilité de faire ce qui est nouveau et enrichissant. Étant donné que les personnes créatives ne recherchent pas l'approbation de tous, elles ont plus de liberté pour poursuivre leurs activités de loisirs, ce qui contribue à leur croissance personnelle.

Les personnes créatives s'adaptent bien au changement et à l'incertitude. Elles acceptent les changements qui se produisent au travail et dans leurs loisirs et ne se sentent pas menacées par l'incertitude de notre monde moderne et chaotique. Chaque changement leur offre l'occasion d'apprendre et de grandir. Les personnes qui savent utiliser leur créativité ne font pas que survivre au

Il est préférable d'être un lion pendant une seule journée que d'être un agneau toute sa vie.

– Sœur Elizabeth Kenny

chaos qui caractérise notre monde moderne : en fait, le chaos leur donne de l'allant.

Les personnes créatives sont enthousiastes. Il existe une différence entre l'enthousiasme et l'excitation. L'excitation est une poussée occasionnelle d'énergie ou de joie, tandis que l'enthousiasme est une énergie interne qui provient de l'essence même de la personne. Les personnes créatives prennent le temps de développer leur monde intérieur riche et leur essence. Elles témoignent d'un goût de vivre constant et n'ont pas besoin d'influences extérieures pour se passionner pour quelque chose. Les personnes qui ne sont pas enthousiastes ont peu d'entrain, bien qu'elles montrent de temps à autre des moments d'excitation provoqués par des éléments extérieurs. Les personnes créatives peuvent regarder la télévision, assister à des réceptions et à des spectacles, fréquenter les brasseries, et ainsi de suite, mais vous ne les trouverez pas souvent en train de se livrer à ces activités. Il y a de plus fortes possibilités que vous les trouviez en train de se livrer à des activités gratifiantes que les personnes amorphes ne voient pas.

Les personnes créatives se motivent elles-mêmes et ont des buts bien définis. Elles se fixent des objectifs à poursuivre et ces derniers leur procurent une motivation. Elles se poussent elles-mêmes à atteindre leurs buts. Étant donné qu'elles agissent, elles n'ont pas besoin d'aller assister à des conférences sur la motivation comme le font les gens qui souffrent d'un manque d'allant. Elles décident elles-mêmes de ce qu'elles doivent faire et le font. Lorsque des personnes créatives perdent leur emploi et, au passage, leur motivation, elles se créent d'autres buts tout aussi importants – ou même davantage – que ceux qu'elles possédaient lorsqu'elles avaient un emploi.

Les personnes créatives ne s'ennuient pas lorsqu'elles sont seules. Elles n'éprouvent pas le besoin d'être avec d'autres. Elles apprécient le fait de se retrouver seules de façon régulière. Leur mot d'ordre est : «Il est préférable d'être seuls plutôt que d'être en mauvaise compagnie.» Étant donné qu'elles ne dépendent que peu des autres, elles ont un nombre limité d'excellents amis plutôt que de multiples amitiés super-ficielles. Elles savent que les gens qui ont sans cesse besoin d'être en compagnie d'autres personnes sont parmi ceux qui souffrent le plus de solitude au monde. Les gens créatifs font plus qu'aimer être seuls : très souvent, ils l'exigent. Leur vie intérieure riche complète leur vie extérieure qui, elle aussi, l'est tout autant. Leur capacité d'être seuls leur rend la vie agréable lorsqu'ils ne peuvent être avec d'autres. Et pourtant, ces personnes sont parmi les plus sociables qui soient.

Les personnes créatives éprouvent un sentiment de liberté vis-à-vis de leurs échecs. Elles savent essuyer des échecs et ne les voient pas du même œil que la majorité des gens. Pour elles, les échecs ne sont qu'une voie vers la réussite. Elles réalisent que pour doubler leurs chances de réussite, elles doivent doubler leur taux d'échecs. Pour réussir, une personne doit avoir connu un certain nombre de revers. C'est la même chose sur le plan des loisirs : ce n'est qu'après avoir essuyé des revers fréquents que l'on réussira.

> *Aucun oiseau ne monte jamais trop haut s'il vole de ses propres ailes.*
> – William Blake

Les personnes créatives sont aventureuses. Elles aiment explorer le monde qui les entoure. Elles aiment voyager vers de nouvelles destinations, voir de nouveaux visages et de nouvelles choses. Étant donné qu'elles aiment prendre des risques calculés, elles essaieront de nouvelles activités qui présentent un élément de danger. Elles sont naturellement curieuses et veulent continuer à apprendre tout au long de leur vie. Elles trouvent des occasions innombrables pour agir, penser, sentir, aimer, rire et vivre.

Il est évident que, de tous les traits de caractère que peuvent posséder les personnes créatives, le plus important est encore l'attitude positive dont elles font montre envers la vie. Vous ferez de votre vie ce que vous voudrez en façonnant votre attitude. Comme on fait son lit, on se couche. Personne d'autre que vous ne peut faire l'effort de vouloir une vie bien remplie. Personne d'autre que vous ne peut créer la joie, l'enthousiasme ou la motivation de vivre intensément.

Songez au changement

À ce stade-ci, vous avez dû remarquer que vivre de façon créative vaut mieux que d'avoir une « bonne idée ». Maintenant, vous devez mettre en pratique ce que vous avez appris.

L'activité et une mobilité intérieure vous mèneront loin. Vous devez aimer le monde dans lequel vous vivez pour pouvoir être utile. Ne cherchez pas la perfection, mais la croissance personnelle. C'est vous qui créez le contexte dans lequel vous envisagez les choses. C'est à vous de trouver le moyen d'aimer les choses que vous entreprenez. Que vos intérêts soient aussi variés que possible! La diversité nous montre que l'effort investi pour expérimenter cette variété en vaut la peine.

Si vous regardez au-delà de vos croyances et de vos perceptions, vous pourrez vous ouvrir à de nouveaux horizons. Développez la présence d'esprit nécessaire pour remettre en question tout ce que vous croyez. Apprenez à supprimer toutes vos vieilles idées qui ne fonctionnent pas. En même temps, développez votre capacité d'adopter de nouvelles valeurs et de nouvelles façons de faire pour examiner ce qui peut fonctionner. En remettant en question votre façon de penser et en en adoptant de nouvelles, vous préparez le terrain pour de nouvelles perspectives et de nouvelles valeurs qui remplaceront vos convictions désuètes.

Nous pouvons changer notre qualité de vie en changeant le contexte dans lequel nous envisageons les circonstances de notre vie. Deux personnes peuvent faire face à une situation identique, comme perdre un emploi. L'une d'elles verra cela comme une bénédiction et l'autre, comme une malédiction. Changer le contexte de la situation dépend de notre capacité de remettre en question nos idées et de faire preuve de souplesse. La majorité d'entre nous ne prend pas le temps de réfléchir à ce que nous pensons et ne se demande pas pourquoi nous concevons les choses de cette façon. Nous devons commencer à réfléchir vraiment pour pouvoir changer notre façon de penser.

> *Toute brillante idée est absolument fascinante, mais... parfaitement inutile, à moins de décider de la mettre en pratique.*
>
> *– Richard Bach*

C'est en remettant en question et en changeant votre façon de penser que vous fixerez le cadre de nouvelles perspectives et de nouvelles valeurs qui remplaceront vos idées dépassées. Vous devrez vous demander: «Est-ce que je veux penser, pour une fois, et ainsi apporter quelque chose de neuf dans ma vie et dans celle des autres?»

Lorsque vous aurez décidé d'apporter quelque chose de nouveau et de différent en ce bas monde, vous devrez vous engager à créer cette différence. Ne soyez pas une copie conforme des autres. Montrez-vous original. Prenez le temps de penser à quel point vous vous limitez dans la vie si vous essayez d'être comme tout le monde. Si vous éprouvez le besoin malsain d'être comme les autres et d'être accepté par tout un chacun, vous vous préparez une vie inintéressante. De plus, il y a de bonnes chances pour que l'on vous trouve très assommant. En d'autres mots, si vous tenez absolument à ce que votre vie soit insipide, eh bien, conformez-vous à ce qui existe déjà et soyez d'un ennui mortel, mais si vous voulez que votre vie soit intéressante, soyez différent des autres.

Vous êtes la seule personne qui ait le pouvoir de choisir de devenir créative, la seule qui puisse faire le travail à accomplir, la seule qui puisse fournir l'énergie, l'enthousiasme, le courage, la déraison, la spontanéité, la discipline et la persévérance nécessaires. Votre vie sera aussi passionnante, gratifiante et pleines d'aventures que vous le désirez.

Il existe, dans notre monde actuel, un nombre infini d'occasions de mettre en pratique les principes énoncés dans ce livre. Vous devrez vous retenir d'être un je-sais-tout. Animé de la joie de ne pas tout connaître, vous devez vous rappeler aussi que la créativité n'est *pas* la société. Ce n'est pas une organisation. Ce n'est pas votre éducation. Ce n'est pas votre intelligence. Ce ne sont pas vos connaissances. Mais qu'est-elle donc? La créativité est votre capacité naturelle de penser de façons différentes et merveilleuses et, ainsi, d'apporter quelque chose de différent à notre monde.

La créativité est un mot de quatre lettres. La créativité, c'est …! (Pour connaître la seule bonne réponse possible, voir l'annexe, page 263.)

ANNEXE

Solutions aux exercices

Exercice 1.1 – L'œuf de Christophe Colomb

Comment faire tenir debout un œuf:

- Utilisez de la colle.

- Utilisez du chewing-gum.

- Mettez du sel sur la table, pour soutenir la base de l'œuf.

- Utilisez un coquetier.

- Utilisez un clou.

- Tapez délicatement l'une des extrémités d'un œuf non cuit sur une surface dure jusqu'à ce que la coquille soit légèrement fendillée.

- Attendez un équinoxe et faites tenir l'œuf debout en utilisant les forces magnétiques.

- Prenez un crayon et écrivez *debout* sur un des côtés. Ensuite, mettez l'œuf sur le côté où est écrit le mot *debout* et vous aurez un œuf qui tiendra «debout».

Exercice 1.2 – Qu'est-ce qu'un lit, un livre et une liqueur ont en commun?

- Tous ces mots sont représentés par des mots qui, si on les épelle à l'envers, n'ont aucune signification.

- Les trois vous endorment.
- On retrouve les trois dans les chambres d'hôtel.
- Si on les fait tomber du 15ᵉ étage, les trois seront endommagés.
- Les poissons n'en ont pas besoin.
- On peut acheter les trois dans des centres commerciaux.
- Vous n'avez pas besoin d'être un intellectuel pour les apprécier.
- Les trois peuvent être volés.
- On peut imaginer les trois.
- Vous ne pourrez en apporter aucun avec vous quand vous mourrez.
- Les trois peuvent être offerts en cadeau.
- On peut profiter des trois si on est seul.
- Les trois peuvent favoriser les relations sexuelles.
- Les trois ont été utilisés dans des films.
- Les sexologues de supermarché qu'on voit à la télé parlent abondamment des trois dans leurs émissions.
- Les trois coûtent moins de 1 000 $.
- Les trois ont servi d'une façon ou d'une autre pour gagner de l'argent.
- Les trois ont apporté des ennuis à bien des gens (pour le livre, penser aux malédictions que Salman Rushdie s'est attiré avec ses *Versets sataniques*...)
- Les trois ne font pas partie de l'équipement standard des Rolls-Royce.
- Les trois n'ont rien en commun avec les pigeons
- Les trois peuvent brûler.

Exercice 2.3 – Le vieux truc de la transformation du « 9 » en « 6 »

Ajoutez une ligne telle qu'indiquée et inverser le sens de la page pour obtenir un VI.

Exercice 2.4 – L'exercice « classique » des neuf cercles

Partie A

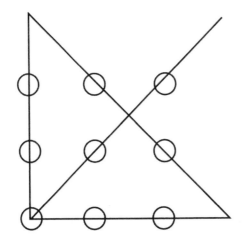

Partie B

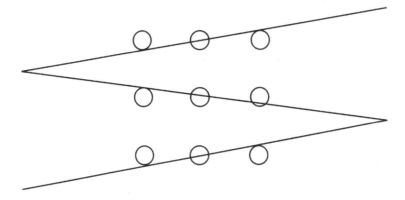

Partie C

Cette partie possède au moins sept solutions différentes. Une d'entre elles consiste à couper les neuf cercles avec des ciseaux et à les aligner. Puis faites une ligne droite à travers les cercles. Pour une autre solution, faites une ligne droite très épaisse.

Exercice 4.4 – Jouons avec des allumettes

1. Faites bouger une des allumettes du II pour obtenir III + I = IV. (Étant donné que nous pouvons faire bouger n'importe quelle allumette, nous avons donc deux solutions.)

2. Faites bouger une des allumettes du III pour obtenir II + II = IV (on a donc trois solutions, étant donné que l'on peut bouger n'importe laquelle des trois allumettes).

3. Faites bouger l'allumette verticale du IV pour obtenir III + II = V.

4. Faites bouger une des allumettes du V pour obtenir IIII – II = II (la dernière allumette reste inclinée).

5. Faites bouger l'allumette du signe « moins » pour obtenir IIIIII = IV. Maintenant regardez le résultat dans un miroir et vous verrez VI = IIIIII. Pour que les parties de l'équation soient égales, comptez le nombre d'allumettes qui sont sur la partie droite de l'équation, ce qui donne VI = six.

6. Prenez l'allumette verticale du IV, cassez-la en deux et utilisez les moitiés pour obtenir – III – II = – V.

7. Prenez une des allumettes du V et allumez-la. Puis, faites brûler celle qui reste du V et jetez la première, pour obtenir III – II = I

8. Faites bouger une des allumettes du III et mettez-la sur le signe égal pour obtenir II – II ≠ IV.

Exercice 6.3 – Les avantages (et désavantages) de boire de l'alcool au travail

Les avantages

-   Le personnel se montrera plus créatif.

-   Les employés aimeront venir travailler.

-   Il y aura une meilleure communication.

-   C'est un excellent moyen de voir qui sont les employés alcooliques.

-   C'est une excellente source de revenu supplémentaire pour l'entreprise.

Les désavantages

- La sécurité au travail sera en régression.
- Les gens auront tendance à s'endormir au travail.
- On assistera à une baisse de la productivité.
- Il faudra agrandir les toilettes.
- On verra plus d'intrigues amoureuses entre les employés. (Cela pourrait être aussi vu comme un avantage.)
- Les possibilités de querelles risquent de s'accroître.

Ce qu'il est intéressant de noter

- Que se passerait-il si l'on permettait l'alcool lors d'occasions spéciales?
- Combien de personnes boiraient vraiment en travaillant?

Exercice 8.7 – Le problème du graffiti

Le propriétaire du camion a pris un pot de peinture et a modifié le graffiti pour que l'on puisse lire « **FORD** ».

Exercice 8.9 – Il est facile de manquer le bateau

L'homme est Chinois parce que son père et sa mère l'étaient.

Exercice 9 – Devinette n° 2

Le Premier ministre a acheté les numéros deux et quatre qui correspondent à son adresse (24, avenue Sussex).

Exercice 12.1 – Des abréviations pour faire travailler votre esprit

1. 4 paires = huit
2. J = Jaguar (QVR = Quatre voitures rapides)
3. M = mètre
4. PC = points cardinaux
5. PN = pôle Nord

6. E = États

7. D = décennie

8. Z = zéro

9. C = Californie

10. P = président

11. Y = Your (*I Want to Hold Your Hand*, des Beatles)

12. O = odeur

13. C'est étroit, très étroit

14. A = an

15. R = Rolling

16. H = homme

17. J = jour

18. P = pauvre

19. M = mois

20. J = journée

21. D = donner

22. C = chat

23. C = cœur

24. R = rien

25. M = mois

Exercice 13.1 – Il y a «étangs» et «étangs»

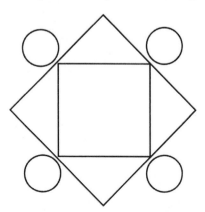

Exercice 13. 3 – Pour venir à bout de la chaîne des demandes

Il suffit de couper deux maillons. Si l'homme d'affaires coupe le septième et le onzième maillon, il n'aura que deux maillons tout seuls, plus une chaîne de trois maillons, une de six maillons et une de douze maillons. Comme cela, il pourra augmenter ses paiements d'un maillon par jour pendant vingt-trois jours. Par exemple, le cinquième jour, il donnera deux maillons et la chaîne de trois maillons.

Chapitre 16, page 255

VOUS